リスクベースによる
GMP監査
実施ノウハウ

第2版

古澤久仁彦 著

じほう

第2版発刊にあたって

　2016年9月にリスクベースによるGMP監査実施ノウハウの初版を出版したが，早くも5年以上の月日が過ぎた。この5年間，医薬品GMPを取り巻く環境は大きく変わり，今も変わりつつある。
　特に，製造現場，品質管理の試験室のみならず，GMPの分野でのコンピュータの利用が普及してペーパーレスでの運用が浸透しているのが現状である。
　監査に関しても，2020年，世界的なCOVID-19の蔓延に伴い，現地監査は著しく減少した。このような環境の変化を反映して本書の第2版を執筆した。
　第2版では，コンピュータ化したシステムでのデータインテグリティに着目したリスクベースでの監査のノウハウ，リモート・バーチャル監査のノウハウに関して新たな章を設け，本文に関してもデータインテグリティに関する記述を加えた。
　GMPの現地監査は，限られた時間内で行うため，製造所の限られた面，文書を照査することになり，その限られた情報の中で，被監査側に潜むリスクを判断することになる。
　wrap-upの席上，FDAの査察官は，必ず以下の言葉を前もって被査察側に告げる。

　「査察で検証できたのは，全体の10％にも満たないでしょう。残りの90％に瑕疵があるかもしれません」

　GMP監査でも，同じように被監査側のすべてを監査することはできないながらも，医薬品の安全性，完全性を確保するために，GMP監査は不可欠となる。
　本書の内容も，現地監査で用いられるのはごくわずかかと思われるが，監査を行う際に利用されない事項も，決して不要ではない。
　中国の思想家，荘子は，"人皆知有用之用　而莫知無用之用也"（人は皆，有用の用を知るも，無用の用を知らず）と言い残している。
　人は，役立つものばかりを追い求め，役に立つか立たないかという狭いものの見方しかできなくなっている。一見役に立たないけれども，本当は有用だというものが，たくさんあるのに，そういったものには目がいかない。

　とかくに，現代社会では，直接必要な知識・情報を求めがちだが，利用できる情報は用いることのない多くの知識の上に成り立っていることを忘れないでいただきたく，本書の改訂にあたった。

2022年1月
古澤　久仁彦

第 2 版発刊にあたって

1章

監査の概要 ... 1

1. 監査実施の基本事項 ... 2
2. FDA査察官のマニュアルに学ぶ ... 4
3. EMA査察官のマニュアルに学ぶ ... 6

2章

監査実施のポイント ... 9

1. 監査日程の決定から事前準備まで ... 10
2. 監査の基本的な流れ ... 12
3. まず確認すべき事項 ... 16
4. 問題(リスク)が潜在する領域のチェックにおける目視での確認事項 ... 19
5. 監査される製造所の監査時の対応 ... 21

3章

ケーススタディ
原薬GMPに沿ったリスクベース監査実施ノウハウ —— 23

1	序文	24
2	品質マネージメント	30
3	従業員	40
4	構造及び設備	47
5	工程装置	63
6	文書化及び記録	80
7	原材料等の管理	102
8	製造及び工程内管理	118
9	原薬・中間体の包装及び識別表示	134
10	保管及び出荷	140
11	試験室管理	143
12	バリデーション	163
13	変更管理	177
14	中間体, 原薬等の不合格及び再使用	180
15	苦情及び回収	188
16	受託製造業者(試験機関を含む。)	192
17	代理店, 仲介業者, 貿易業者, 流通業者, 再包装業者及び再表示業者	195
18	細胞培養・発酵により生産する原薬のガイドライン	202

4章

リモート・バーチャルGMP監査と文書監査 —— 217

1 リモートGMP監査の経緯と前提 —— 218
2 リモート・バーチャル監査／査察の準備から実施まで —— 220
3 文書監査 —— 231

5章

データインテグリティと
コンピュータ化システムの監査 —— 241

1 データインテグリティに関する監査の基本 —— 242
2 データインテグリティに関する監査の視点 —— 246
3 監査・検証の例 —— 249

索引 —— 263

I 章

監査の概要

key note

　監査とは，製造所における品質活動，GMP運用が適正か否かを判断するため，文書・記録，設備，状況等を調査することにより，過去に供給された原材料，製品，品質活動におけるリスクおよび発見された欠陥が是正されているか，今後供給される原材料，製品，品質活動に潜在するリスクを許容可能な範囲まで減じられるかを判断することである。本質は，製造所の欠点を探す，粗探しをすることではない。あくまでもリスク分析，リスク管理の手段の1つであり，監査という行為がもつ本質を見失ってはならない。
　本章では，監査とは何か，監査員にはどういった能力が求められるかを解説する。

監査実施の基本事項

監査員の素質

　監査の目的を達成するためには，まず第一に監査先に潜在するリスクを，適切かつ迅速に探り出す能力が要求される。

　そのために，監査員はGMP関連法規・基準（たとえばICH Qシリーズ，PIC/S GMP，CFR210/211/850，FDAの各種ガイダンス，厚生労働省令・通知，医薬品医療機器法等）に精通していることはもとより，薬学・化学・微生物学の基礎知識や，医薬品製造現場についての知識，品質管理・品質保証業務の経験があることも場合によっては必要になってくる。また，事象を観察して，潜在するリスクを演繹的に導く力，発見する能力，さらには，現状の欠陥を是正した後の状況下で予測される今後のリスクを感受する能力も備えておく必要がある。

　しばしば監査員は，初心者を教育訓練し，監査能力を伸ばして育てるのではなく，GMP運用に携わった経験をもつ担当者の中から，潜在的な監査能力・洞察力を有している人材を候補者として選抜し，実務での教育訓練を通じて監査員としての素養を育んでいくことがある。監査員に求められる能力を表1.1にまとめた。

表1.1　監査員に求められる能力

規制・ガイドラインの知識	事象の観察能力	薬学等に関する専門知識	医薬品製造現場に関しての知識
●PIC/S GMPをはじめ各国のGMP ●FDA各種ガイダンス ●GQP ●ICH Qシリーズ ●医薬品医療機器法 など	●潜在リスクの把握 ●確認すべき事項の把握と質問内容の明確化 ●監査先とのコミュニケーション能力 など	●薬学 ●化学 ●微生物学 など	●設備に関する知識 ●手順書等の適切性に関する知識 ●製品ごとの製造現場の特徴 など

監査の対象

　GMP監査の対象となるシステムは，国際基準であるGMP/QMSである。製造所の状況は，各工場，製造する原薬，製剤によって異なり，GMPシステムは各工場で異なる運用方法が用いられているため，一律にGMP監査を行うことの困難さが強調されてきた傾向があるように思う。また，製造所は，自らの工場の独自性を強調し，監査での指摘点へ抗議を示すこともあったが，こうした認識は誤りである。

　原材料，原薬，製剤を製造している製造所が，GMPやISOに準拠していれば，そのシステムの根幹は共通である。ミクロ的には工場ごとに大きな差があるように思われるが，GMP準拠というマクロ的にみれば，おおかたの医薬品製造所のシステムには共通事項がある，あるいは概ね同等であり，製造所ごとに大きな差はないのではないだろうか。

　往々にして製造所側の人々は，自社の製造所のシステムは独特で，他の製造所とは異なることを強調しがちである。また，監査員も品質システムそのものの本質よりも，小さな差異を指摘することを監査目的と勘違いしている節も見受けられる。

　監査は，あくまで共通のガイドラインに基づき，その差異を認識しながら，製造所に潜在するリスクを評価することが本質である。また，今後予測されるリスクを推測し，評価することであることを肝に銘じておく必要がある。

2 FDA査察官のマニュアルに学ぶ

監査では何をみるべきか

　現在提唱されている監査は，実証主義に基づき，製造現場，品質管理の現場に出向き，実際に作業員が行っている作業を観察して，コミュニケーションを行うという手法である。また，実際の製造記録，品質管理の記録・生データ，QMS関連の記録を照査することである。

　実証監査は，目視でサイトを監査する機会を与えられるだけではなく，製造施設で働くスタッフとの交流が可能となる。また，実際に行われる作業を間近にみることで，その作業のもつリスクそのものに加え，リスク管理（回避）の対策をみることができる。

　また，実証監査の中で，実地検分（プラントツアー）が必要な理由は，記録文書ではみることができない作業を実際に検証することで，製造工程，装置全体の構成を俯瞰することができるためである。このためプラントツアーは，監査員が製造所の時間を最も有効に利用できるように編成することが必要である。その検証の結果，監査全体がより奥行きをもち，有意義なものとなるのである。

　以下に，FDA査察官のマニュアルの中から，査察を始めるにあたっての指針と，その意訳を記載する。当局の査察官向けのものであるが，監査実施にあたって参考になる。

Investigations Operations Manual 5.5.1.2 - Inspectional Approach

原　文	意　訳
Follow Compliance Program Guidance Manual (CP) 7356.002 and others as appropriate when conducting CGMP inspections.	cGMPの査察を行うときは，実施ガイドマニュアル7356.002もしくは他の適切なマニュアルに従うこと。
In-depth inspection of all manufacturing and control operations is usually not feasible or practical.	すべての製造現場ならびに管理操作の詳細な査察は，通常現実的ではない。
A Risk-based systems audit approach is recommended in which higher risk, therapeutically significant, medically necessary and difficult to manufacture drugs are covered in greater detail during an inspection.	査察において，リスクが高く，治療的に有意で医学的な必要性が高く，製造が困難な医薬品の場合，リスクベースのシステム査察手法を用いることが推奨される。
CP 7356.002 incorporates the systems-based approach to conducting an inspection and identifies six (6) systems in a drug establishment for inspection: Quality, Facilities and Equipment, Materials, Production, Packaging and Labeling and Laboratory Control Systems. The full inspection option includes coverage of at least four (4) of the systems; the abbreviated inspection option covers of at least two (2) systems. In both cases, CP 7356.002, indicates the Quality System be selected as one of the systems being covered. During the evaluation of the Quality System it is important to determine if top management makes science-based decisions and acts promptly to identify, investigate, correct, and prevent manufacturing problems likely to, or have led to, product quality problems.	実施ガイドマニュアル7356.002は，査察の実施時にシステムベースの査察を含める。現在採用されている6つのシステムとは，品質，設備・装置，原材料，製造，包装表示，試験室管理である。十分な査察を行うためには，少なくとも4つのシステムを含めること。簡易査察では，少なくとも2つのシステムを含めること。 両ケースでも，実施ガイドマニュアル7356.002に即して，品質システムは監査すること。
When inspecting drug manufacturers marketing a number of drugs meeting the Risk criteria, the following may help you identify suspect products: 1. Reviewing the firm's complaint files early in the inspection to determine relative numbers of complaints per product. 2. Inspecting the quarantine, returned, reprocessed, and/or rejected product storage areas to identify rejected product. 3. Identifying those products which have process control problems and batch rejections via review of processing trends and examining reviews performed under 21 CFR 211.180 (e). 4. Reviewing summaries of laboratory data (e.g., laboratory workbooks), OOS investigations, and laboratory deviation reports.	リスクの分類（重要度）に合致する数種の医薬品を市場に出荷している製造所を査察する場合，下記の事項を確認することが識別に役立つかもしれない。 1. 製品ごとの苦情の頻度を算定するために，苦情のファイルを照査する。 2. 不適合品を特定するために，検査中，返品，再加工，不適合品保管場所を実地調査する。 3. 製造のトレンドの照査をとおして，製造過程で管理上問題のある不適合な製品を特定する。そしてCFR 211.180 (e) に従って照査する。 4. ラボ記録書，OOS調査報告，ラボ逸脱等のサマリーを照査する。

3 EMA査察官のマニュアルに学ぶ

みるべき本質は同様

　FDA査察官の指針と同様，欧州においてもGMP査察を行う際の心得が示されている。以下に原文とその意訳を示す。GMP監査を行うにあたっての本質となる部分は概ね共通しているということを読み取っていただけると思う。

EMA Conduct of Inspections of Pharmaceutical Manufacturers or Importers

原　文	意　訳
2. General Considerations on Inspections 2.1 The primary role of the inspector is the protection of public health in accordance with Community provisions.	査察官の役割は，社会の要求に従って公衆の健康を守ることである。
2.2 The function of the inspector is to ensure adherence by manufacturers to GMP principles and guidelines including licensing provisions, marketing and manufacturing authorisations.	製造販売許可に含まれるガイドライン，GMPの基本に沿って製造されていることを確認することが，査察官の役割である。
2.3 The primary goal for the inspector should be to determine whether the various elements within the quality assurance system are effective and suitable for achieving compliance with GMP principles. In addition the goal is to determine that medicinal products comply with their marketing authorisation.	査察官の所期の目標は，品質保証のシステムに含まれるさまざまな要素が，GMPの基本に忠実に行うことに効果的また適正であることを確かめることである。 加えて，販売許可条項に医薬品が適合しているかを確かめることである。
2.4 Inspectors should strive to create a positive atmosphere during the inspection.	査察中，査察官はポジティブな雰囲気を作り出すように努める。
2.5 An inspector should be aware of his influence in decision making processes. The inspector should answer questions but avoid entering the role of a consultant.	査察官は，判断する過程で自己の影響に気をつけねばならない。査察官は，質問には答えねばならないが，コンサルタントのようにふるまってはならない。

原　文	意　訳
2.6 The task of an inspector is not limited to the disclosure of faults, deficiencies and discrepancies. An inspection should normally include educational and motivating elements.	査察官の仕事は，欠点・欠損，差異を明らかにすることだけには留まらない。査察は基本的に教育訓練的，啓蒙の要素も兼ねている。
2.7 The wide diversity of facilities (both in terms of physical layout and management structure) together with the variety of products and production processes as well as analytical methods means that judgement by inspectors on-site of the degree of compliance with GMP is essential.	各種の製品と製造工程をもつ施設（製造ラインと運営体制の両面を含む）ならびに分析方法の幅広い多様性は，現場におけるGMPの遵守についての査察官の審査が重要であることを意味する。
2.8 A consistent approach to evaluation of the GMP standard of companies is essential.	製造所のGMPの基準を評価するために首尾一貫したアプローチが必要である。
2.9 Inspections may disturb the normal work patterns within a company. Therefore, inspectors should take care not to put the product at risk, and should carry out their work in a careful and planned way.	査察は，日常の作業環境を妨げることもある。査察官は，製品にリスクを与えないように，また作業を遂行できるように計画し注意を払うこと。
2.10 Inspectors will, while conducting the inspection, have access to confidential information and should handle it with integrity and great care.	査察官は査察中，機密事項にあたる情報に接することがあるが，取扱いに注意すること。
2.11 Prior to the inspection the inspector may consult with experts in a particular field.	査察に先立ち，その分野の専門家に相談することもできる。
3. Inspection Planning and Preparation 3.1 The Competent Authority should plan the succession of inspections in advance and elaborate a programme. This programme should ensure that the frequency of inspection of individual manufacturers can be adhered to as planned. Sufficient resources must be determined and made available to ensure that the designated programme of inspections can be carried out in an appropriate manner. The planning of inspections should be performed according to the Community Procedure. "A model for risk based planning for inspections of pharmaceutical manufacturers"	所管当局は事前に継続的査察を計画すること。また，そのプログラムを評価すること。このプログラムは個々の製造所の査察頻度が計画に沿っていることを確実にせねばならない。必要な資源を決めておかねばならない。適切な手段で制定された査察計画を遂行できるように確実性を高めねばならない。医薬品製造者の査察のために計画されたリスクベースのモデルという手段との一致に従って，計画された査察は実施されねばならない。
3.2 Preparation of inspections: prior to conducting an inspection the inspector (s) should familiarise themselves with the company to be inspected.	査察の準備：査察の実施前に，査察される施設に通じていなければならない。

次ページへ続く

原文	意訳
3.3 This may include	これは以下の事項を含む
• assessment of a site master file	●サイトマスターファイルの照査
• a review of the products manufactured/imported by the company	●輸入，製造される製品の照査
• a review of the reports from previous inspections	●前回の査察の報告書の照査
• a review of the follow-up actions (if any) arising from previous inspections	●前回の査察で指摘した事項のフォローアップ
• familiarisation with the relevant aspects of the manufacturing authorisation including variations	●更新を含む製造許可の関連事項に通じていること
• a review of any variations to the manufacturing authorization	●製造許可事項からの変更の照査
• a review of product recalls initiated since the previous inspection	●前回の査察以降の期間に発生した回収の照査
• an examination of relevant product defects notified since the previous inspection	●前回の査察以降の期間に発生した逸脱の照査
• a review of the analysis of any samples analysed by an OMCL since the previous inspection	●前回の査察以降の期間にofficial medicines control laboratoriesが分析した結果（収去）の照査
• a review of any special standards or guidelines associated with the site to be inspected	●査察する製造所に関連する特別基準・ガイドの照査
• a review of relevant parts of the marketing authorisation of one or more selected products to be examined during the inspection	●査察中に，1ないしは2の製品を選び許可事項との差異を照査
• a review of variations to marketing authorisations, applied for, granted and refused;	●適合，不適合になった承認項目への変更の照査
• a review of information available on regulatory databases (EudraGMP, FDA warning letters etc)	●利用可能な，当局の発した警告書の照査
• a review of significant changes to equipment, processes and key personal;	●設備，工程，基幹職種の変更を照査
• a review (or preparation) of aide-memoires for the specific inspection to be performed to avoid missing important aspects of GMP	●査察の重要項目を逃さないように aide-memoiresを準備

2章

監査実施の
ポイント

> **key note**
>
> 　監査を行うにあたっては，その目的に応じて事前に準備を進める必要がある。効率的かつ効果的な監査を行うには，当日の流れを把握し，監査する工場の概要・潜在する問題点などを洗い出しておくことも重要になってくる。
> 　本章では，3章で紹介する監査での具体的な質問事項や着眼点を覚える前に，最低限知っておくべき監査の流れとポイントを端的に解説する。

監査日程の決定から事前準備まで

ここでは，2020年以降に新型コロナウイルス感染症の影響を受けて導入されたリモート監査は除き，平時の一般的な流れを説明する。

 ## 日程の決定

監査の日程は，数カ月前（多くは2〜3カ月前）に監査側・被監査側双方の合意が得られて決定されるのが通常である。不測の事態（例えば回収・異物混入等の重篤な逸脱の場合，cause Auditに分類される特別な監査が，時期を選ばず実施される場合がある。また，当局からの査察に関していえば，米国内に立地する製薬会社の工場に対しては，FDAは予告なく査察を行うことが通例であり，海外の製薬会社の施設・工場への査察は，特別な事態でない限り数カ月前（多くは4〜6カ月前）には双方の合意の下，日程を決定する。

監査実施のおおよそ1カ月前には，監査員の氏名・所属，日程（アジェンダ）を被監査側へ伝達する。その際，監査したい施設・生産ライン・文書を知らせておく。ただし，この連絡はあくまで目安である。近年はPIC/S GMPの影響などもあり，リスクベースでの監査実施が重要視されているため，リスクの懸念があれば事前の連絡とは異なる箇所についても，リスクを深く幅広く監査することが求められる。事前のアジェンダにとらわれずに，監査の準備に取りかかる必要がある。

 ## 監査直前

通常，監査員は監査先の誘導に沿って，会議室へ入場する。オープニング会議では，まず監査員が自己紹介と当日の監査趣旨を述べる。監査される製造所は，会社の概要を最初にプレゼンテーションする。

概要としては，

- 会社の概要：歴史
- 組織
- 平面図
- 製造工程の概要

等がある。

このとき，SMF（Site Master File）を配布する製造所が近年増加している。

> Check
>
> ## ✔ 監査員の心得
>
> 監査員がはじめに注目すべき点は下記の項目である。製造所の門を通った時点から監査は始まる。
>
> - 従業員の服装と対応（特に守衛，受付の対応）。
> - 更衣室とトイレの清掃・清浄の状況。
> - 施設内の表示，掲示物（特に承認と有効期限表示の有無）。
> - 入場許可書の有無（監査員にも手順に従って要求することが求められる）。

2 監査の基本的な流れ

施設プレゼンテーション後

まず監査員より下記の説明を行う。

- 監査員の紹介
- 監査の目的
- 監査の対象範囲

そして当日を含めた監査スケジュールの確認を行う。この際，複数の監査員の責任範囲とプラントツアーの範囲を合意する。この時点で，製造区域・倉庫・品質試験区域への入場に先立ち，安全面での注意事項として，工場内での服装，製造所内の制限事項，健康状況に関する調査が製造所側から要求される。

監査方式の決定

複数の監査員で監査する場合，同一行動をとって監査する共同監査方式と，個々の専門分野・分担に従って個別に監査する分担監査方式がある。どちらの方式を採用するかは，下記を参考にしていただきたい。

（1）分担監査方式
- 初回の監査で，製造所全体を評価したい場合。
- 製造所内に製造設備，品質試験室，倉庫が散在して，かつ製造所が比較的大きい場合。
- 監査対象品目が多い場合。

(2) 共同監査方式

- 特定の品目を集中的に深く監査したい場合。
- 苦情，逸脱等の原因調査の場合。
- 当局査察の事前監査。
- 教育訓練を兼ねた監査。

分担監査方式での一般的な手法

　被監査側より示された施設の図面，製品の工程／流れを見直した後，監査チーム全体が施設を簡単に視察（1時間〜）。次に，監査員は徹底的に実地検分を行うためにそれぞれのエリアに分かれ，品質試験室・製造設備・工程ごとに確認作業を開始する。分担したエリアで確認が必要な文書・記録を確認する。確認文書は，工程管理基準，工程管理記録，校正・保守記録，製造記録，品質検査管理記録，環境モニタリング記録，バリデーション記録等。

　文書・記録の確認をしながら，関連する文書を照査する。照査する文書は規格・仕様，品質規格，原材料規格，出荷記録，試験成績書（CoA）の発行記録，教育訓練記録等である。

　また，各担当者に対して，製造記録，試験記録に基づき個別の作業の実施手順を聞き取りで確認する。

ラップアップ会議

　分担方式の場合，各監査員は自己の担当エリアの監査項目をまとめ，観察事項を抽出する。抽出された観察事項は主監査員が全体結果としてまとめ，監査のラップアップ会議（wrap-up）にて，全体結果が伝達される。このとき，必要に応じて各監査員が詳細を補足する。

監査を効果的に行うための留意点

- 監査員は，潜在的な問題が生じる可能性があるエリアに関する文書の初期レビューで，気づいた特定のエリアを識別しておく。
- 実地検分の実施前に，監査員にそれぞれの施設について習熟させておくと，潜在的な問題のある部分を感知することにつながる。

監査で「すべきこと」

◯ ノートを持ち込む
メモをしっかりとる。必要に応じてメモ取りに追いつくために少し待ってもらう。

◯ ていねいに質問をする
質問するときや意見を述べるときは，常にていねいに，プロらしくふるまう。

◯ 担当者に直接質問をする
質問をして，監査しているエリアの状況を完璧に理解する。監督者が特定の工程が実行される状況について説明した場合，実地検分中にメモし，後で適切なSOPをリクエスト／レビューする。グループの一員の場合，他の人が提起する質疑応答に耳を傾け，質問が重複しないようにする。

◯ フォローアップする
実地監査を終える際に，聞かれた質問についてフォローアップする。

◯ 実地検分を進める
ログブック，伝票，書類を無作為に照査する。製造所側が，指定したログブック，伝票，書類と異なるログブック，伝票，書類の照査を申し出た場合は，疑いをもって照査し，その後監査員が選択・指定したログブック，伝票，書類を照査して，比較すること（製造所側が見せたくないログブック，伝票，書類を監査員が指定したことによる，代替措置と考えることが必要）。ログブック，伝票，書類の照査時，記入日，承認日，承認者，ID／状況／使用期限／ラベルに特に注意する。

 ## 監査で「してはならないこと」

✗ 推測してはならない
目にする可能性があることについて他の監査員とその場で推測しないこと。多くの場合，見かけと異なることがある。

✗ １つのことにとらわれてはならない
１つのことに時間をかけすぎると，全体の事項を見失いがちになり，またタイムマネジメントの観点からもうまくいかないことが多い。限られた時間を有効に使うようにする。

✖ 現場で哲学的な議論をしてはならない

　一般的な哲学的議論に陥って行き詰まらないようにする。この類の議論は，必要に応じて会議室で行うこと。

3

まず確認すべき事項

 ## 以前の監査結果のフォロー

- 以前の監査時の観察事項に対するCAPAの実施と，そのCAPAの有効性のモニタリング結果・報告書を照査する。
- 規制当局の査察履歴，もしくはその結果の概要を照査する。
- 他のクライアントの監査での重大な観察事項の有無を確認する。観察事項が見受けられた場合，その後の対応も調査する。

 ## 製品と工程の概要

- 製造範囲を確認する。中間体，原薬，製剤・製品，包装・保管のいずれの工程を行っているのかを明確にする。
- 製造方法は，乾式，湿式，混合製造のいずれを採用しているかを確認する。
- 製造は，無菌製造か非無菌製造かの区別を確認する。
- ペニシリン系，βラクタム系，セファロスポリン系等の抗生物質を製造しているかを確認する。
- ホルモン剤，抗がん剤等の高活性医薬品を製造しているかを確認する。
- 農薬，化学品を製造しているかを確認する。

 ## 製造・品質検査記録の情報源の特定

- マスター製造記録の管理システムはどのように機能しているかを確認する。
- 製造記録はPC管理か，ロット記録様式に測定値を入力する方式かを確認する。
- 試験室のノート／LIMSの確認。

潜在する懸念点（リスク）の特定

- 製造所全体の一般施設の保守・管理・校正の計画書の有無と照査。
- 工程の流れ（混同・汚染の可能性と防止対策の有無と書類等）の照査。
- 施設の汚染防止，混同防止のための作業動線，区分管理の実施の有無と書類の照査。

 ## 組織的事項

- 事業を遂行する適切な規模，物理的に十分な設備を有しているか。
- 従業員数は生産ロット数，品目数にあった人数と訓練を受けている人数が確保されているか。
- 製造部門で，品質管理・保証 の"見える化"が実施されているか。
- 勤務中のオペレーターがリスクを認識して，重大な工程を確認して作業を行っているか。

 ## 従業員の慣行

- 更衣・防具のSOPを遵守して，汚染防止を行っているか。
- 無菌室への入場時の汚染防止，無菌性担保の技法を熟知しているか。また訓練を行っているか。
- 作業員は十分に教育訓練され，装置操作を熟知しているか。

 ## プラント内外の環境条件

- 温度／湿度のモニタリングを行っているか，逸脱したときの対策が有効に作動しているか。
- げっ歯類／ペストコントロールを行い，汚染源を除いているか？
- 清浄度の領域の分類（例：A, B, C, ISO 5, 6, 7 等）が適切に行われ，管理されているか。

 ## 手動と自動工程

- 温度／湿度は自動記録と手動記録のいずれを用いているか。手動ならば，測定の頻度はどの程度か。
- 重要な装置（例：WFI／精製水インライン監視）は常時モニターされ，記録されているか。また，逸脱したときの対策が有効に作動しているか。

汚染源

- 排水,排水管,下水からの二次汚染防止の装置(逆流防止装置,Water-trap,水処理室)は,定期的に保守・校正・殺菌等の汚染防止策がとられているか。
- 明らかな水漏れはないか。
- 壁,天井,床の穴は完全にふさがれ,清掃しやすい構造になっているか。
- 外部からの侵入防止が図られているか。
- 試料採取エリアは,汚染・混同防止の手順が備わっているか。
- スタッフは十分に教育訓練されているか。

 ## 原材料

- 保管状況は良好か。
- 混同防止のための品目IDの表示は行われているか。
- 適切な分離が図られているか。
- 受入れる原材料と製品エリアが分離されているか。

4 問題（リスク）が潜在する領域のチェックにおける目視での確認事項

 ## 一般的な管理維持の確認をする

- 床，壁，天井の汚れ，欠陥（隙間，凹み）。
- HVACエリア：機器の校正・完全性試験，ホットスポット（床，窓等）。
- 製造エリア：試験室，無菌室エリア等。

 ## 工程と処理装置の運用状況

- 適切にラベルで分類されているか。
- 装置は清潔か。
- 装置を連続的に起動／停止させるか。
- 清潔な操作と汚染の可能性がある操作が分離されているか。
- 校正ラベルは，オペレーターが状況確認できるように，容易に見えるか。

 ## 人が介在する操作

- ガウン／ユニフォームはSOPに規定されており，SOPに従って着用されているか。
- 知識豊富なスタッフがいるか。
- オペレーター用のSOPは現場で利用可能で，現実的な運用がなされているか。
- 試験室スタッフ用の分析法，SOPは試験室で利用可能か。
- 製造過程のチェックは重要工程にフォーカスして実施しているか。
- 業務遂行に適切なスタッフ数が確保されているか。

目視確認に含めるべき潜在的な リスクが存在するエリア

- 製品の試料採取と試験サンプルの保管・セキュリティ。
- OOS対策での試料の保管と不適合品の管理区域。
- 中間体・原薬・製品の再加工（再処理）。
- 返品保管・管理状況。
- 製品隔離領域。

5 監査される製造所の監査時の対応

 ## 監査員との対話での注意点

　まず監査員は，GMP共通語で話すように訓練を受けている。製造所固有の用語（方言）は使用しないようにし，略語の使用は慎重に行う。監査員の使用している語彙の定義を理解することが前提となる。

　以前まで，監査時にはQAの責任者が一人で監査員の質問に対応する場面が多くみられたが，現在は監査員が現場の監督職・担当者に直接質問する方式に移行しつつある。監査を受ける側の人間はどのような点に留意すべきか，以下にポイントをあげて解説する。

 ## 監査員の希望 〜何をしてほしいかを知る〜

- ありのままを見たい（その日だけのきれいさは，すぐにばれる）。
- 雄弁はいらない（監査慣れして流暢に述べる必要はない）。
- 現場の実情を自分の言葉で説明する（台本を読むようにではなく）。

 ## 監査員の不信感 〜何をしてほしくないかを知る〜

- とり繕うのは見たくない。
- 言葉に影がある（隠しごとは不信感の助長）。
- 文書監査の回答者と現場の回答者が言うことが異なる。
- 資料を引き上げたがる。
- 文体・書式の統一が，同一文書内でされていないことに気づいていない。
- 監査のために清掃したと思われるきれいさ。
- 隠し部屋がある。資料を隠していることがうかがわれる。

海外の監査員は何を期待するか，期待しないかを知る

- 自己点検しているか（己を知っているか）。
- リスク分析で，weak points を把握しているか。
- 製品を守るための姿勢（顧客主義）をもっているか。
- 改善の意欲（常に研鑽を積む）があるか。

 ## 監査される製造所は"監査は最初の１時間で決まる"を念頭に置く

　監査員は監査開始前に，目につくところを見ている，評価していることを認識すべきである。以下のような点は日常的な管理が行き届いているかを把握するうえで，重要視されることもあるので，注意が必要である。

- 玄間（入場口）の表示，セキュリティ。
- トイレの清掃，表示，衛生管理の状況。
- 更衣室の表示，手順の準備の仕方。
- 防虫トラップ。
- 会社紹介での言葉使いなど。

3章

ケーススタディ
原薬GMPに沿ったリスクベース監査実施ノウハウ

key note

本章では，監査員がどのようにGMPを理解し，その条項に沿って製造所を監査すべきかを，原薬GMPガイドライン（ICH Q7）の条項に沿って解説する。何に留意・着目し，どんなことを質問し，どのような事項を指摘すべきか，筆者が経験したこれまでの事例から，ノウハウを提供したい。

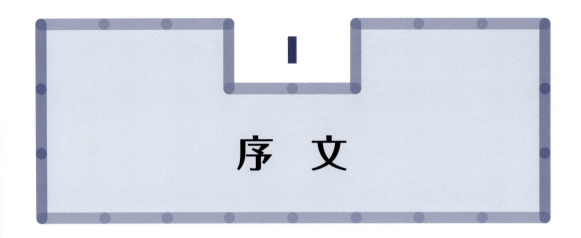

序 文

 原薬GMPに沿った監査のポイント

　本章では，原薬工場の監査を想定し，原薬GMP（ICH Q7）の条項に沿って"照査する文書例"，"質問例"，"リスク・観察事項例"をそれぞれあげながらリスクベース監査のポイントを解説する（「19.臨床試験に使用する原薬」を除く）。なお，通常の監査にあたってはQ7すべての条項を2～3日程度の日程で照査することはできないため，各種の条件を考慮して，サンプル抽出方式で監査を進める。

　たとえば，新規の製造所で製造・品質システムの実態に通じていない場合は，①品質システム，②年次照査，製造工程の確認。過去に監査を行ったことがあるケースでは，①過去の監査で照査していないシステム，②前回の観察事項のCAPAの実施状況，③前回の監査以降の変更管理と発生した逸脱。クレーム等で監査を行う場合には①逸脱管理，②根本原因調査とCAPA計画。このように項目を限定すると，目的にあった監査を効率的に実施することができる。

　監査は，GMP基準であるICH Q7の条項に関しての遵守状況を，現場と文書・記録で確認することが基本である。以下にICH Q7の条項を記載する。これらの中から監査目的に応じて条項を選択し監査を行うが，特に変更管理，逸脱/CAPA/OOS，年次照査は必須の項目といえる。

1. 序文
   1.1 目的
   1.2 法規制の適用
   1.3 適用範囲
2. 品質マネージメント
   2.1 原則
   2.2 品質部門の責任

2.3 製造部門の責任
  2.4 内部監査（自己点検）
  2.5 製品品質の照査
3. 従業員
  3.1 従業員の適格性
  3.2 従業員の衛生
  3.3 コンサルタント
4. 構造及び設備
  4.1 設計及び建設
  4.2 ユーティリティ
  4.3 水
  4.4 封じ込め
  4.5 照明
  4.6 排水及び廃棄物
  4.7 衛生及び保守
5. 工程装置
  5.1 設計及び組立
  5.2 装置の保守及び清掃
  5.3 校正
  5.4 コンピュータ化システム
6. 文書化及び記録
  6.1 文書管理システム及び規格
  6.2 装置の清掃及び使用記録
  6.3 原料・中間体・原薬用の表示材料・包装材料の記録
  6.4 製造指図書原本
  6.5 ロット製造指図・記録
  6.6 試験室管理記録
  6.7 ロット製造指図・記録の照査
7. 原材料等の管理
  7.1 一般的管理
  7.2 受入及び区分保管
  7.3 新たに入荷した製造原材料等の検体採取及び試験
  7.4 保管
  7.5 再評価
8. 製造及び工程内管理
  8.1 製造作業

8.2 時間制限

8.3 工程内検体採取及び管理

8.4 中間体・原薬のロット混合

8.5 汚染管理

9. 原薬・中間体の包装及び識別表示

   9.1 一般事項

   9.2 包装材料

   9.3 ラベルの発行及び管理

   9.4 包装作業及び表示作業

10. 保管及び出荷

   10.1 保管作業

   10.2 出荷作業

11. 試験室管理

   11.1 一般的管理

   11.2 中間体・原薬の試験

   11.3 分析法のバリデーション

   11.4 試験成績書

   11.5 原薬の安定性モニタリング

   11.6 使用期限及びリテスト日

   11.7 参考品・保管品

12. バリデーション

   12.1 バリデーション方針

   12.2 バリデーションの文書化

   12.3 適格性評価

   12.4 プロセスバリデーションの手法

   12.5 プロセスバリデーションの計画

   12.6 検証したシステムの定期的照査

   12.7 洗浄のバリデーション

   12.8 分析法のバリデーション

13. 変更管理

14. 中間体,原薬等の不合格及び再使用

   14.1 不合格

   14.2 再加工

   14.3 再処理

   14.4 中間体,原薬等及び溶媒の回収

   14.5 返品

15. 苦情及び回収
16. 受託製造業者（試験機関を含む。）
17. 代理店，仲介業者，貿易業者，流通業者，再包装業者及び再表示業者
    17.1 適用範囲
    17.2 出荷された原薬・中間体のトレーサビリティ
    17.3 品質マネージメント
    17.4 原薬・中間体の再包装，再表示及び保管
    17.5 安定性
    17.6 情報の伝達
    17.7 苦情及び回収の処理
    17.8 返品の処理
18. 細胞培養・発酵により生産する原薬のガイドライン
    18.1 一般事項
    18.2 細胞バンクの保守及び記録の保管
    18.3 細胞培養・発酵
    18.4 ハーベスト，分離及び精製
    18.5 ウイルス除去・不活化
19. 臨床試験に使用する原薬
    19.1 一般事項
    19.2 品質
    19.3 装置及び設備
    19.4 原料の管理
    19.5 製造
    19.6 バリデーション
    19.7 変更
    19.8 試験室の管理
    19.9 文書化
20. 用語集

監査範囲の決定

　ICH Q7 に即して監査を始めるにあたり，「1.3 適用範囲」に以下のように記載されているとおり，GMP 範囲が特定されているため，事前に監査を行う範囲，出発物質を決めておくことが必要である。

1.3 適用範囲

本ガイドラインで規定された適切なGMPを適用すること。GMPには、原薬の品質に影響すると判断される重要工程のバリデーションが含まれる。ただし、**企業がある工程に対しバリデーションを実施しても、必ずしも当該工程が重要工程であると定義されるものではないこと**に留意すること。

本ガイドラインは、一般的には、表1の灰色で示す工程に適用される。なお、これは、表1に示された工程全ての実施が必要であることを意味するものではない。原薬の生産に関するGMPは、初期の製造段階から最終段階、精製及び包装に向け工程が進行するに従って、より厳密に実施すること。造粒、コーティング等の物理的処理又は粒径の物理的な細分化(例えば、粉砕、微粉化)は、少なくとも、本ガイドラインの基準に従い、実施すること。

本GMPガイドラインは、**規定された「原薬出発物質」の導入より前の段階には適用されない**。

表1:原薬生産に対する本ガイドラインの適用

生産形態	形態ごとの生産工程の事例 (灰色部分:本ガイドラインを適用する工程)				
化学的合成による原薬	原薬出発物質の製造	原薬出発物質の工程への導入	中間体の製造	分離及び精製	物理的加工処理及び包装
動物由来の原薬	器官、液体又は組織の収集	細断、混合、及び初期加工処理	原薬出発物質の工程への導入	分離及び精製	物理的加工処理及び包装
植物から抽出する原薬	植物の収集	細断及び初期抽出	原薬出発物質の工程への導入	分離及び精製	物理的加工処理及び包装
原薬として使用する生薬抽出物	植物の収集	細断及び初期抽出		再抽出	物理的加工処理及び包装
粉砕又は粉末化した生薬で構成する原薬	植物の収集又は栽培及び収穫	細断/粉砕			物理的加工処理及び包装
バイオテクノロジー(発酵・細胞培養)を応用した原薬	マスターセルバンク及びワーキングセルバンクの確立	ワーキングセルバンクの維持管理	細胞培養又は発酵	分離及び精製	物理的加工処理及び包装
クラシカル発酵を応用した原薬	セルバンクの確立	セルバンクの維持管理	セルの発酵工程への導入	分離及び精製	物理的加工処理及び包装

GMP要求事項の増大 →

(ICH Q7より引用)

監査の視点

照査する文書例：①サイトマスターファイル，②製造工程図
質問例
- GMPはどの工程から適用されますか？
- GMPでの出発物質は，どの中間体ですか？
- 原材料をすべて示してください。

 ## 監査のポイント

　ICH Q7のGMP適合の範囲と製造所がGMPの範囲としている工程範囲が妥当であるかを確認する。

2 品質マネージメント

2.1 原則

2.10 品質は原薬の生産に関係する全ての人々の責任であること。

2.11 製造業者は,効果的な品質マネージメント体制を確立し,それを文書化し,実施すること。なお,この品質マネージメント体制は,経営者及び製造に従事する者が積極的に関与すべきものであること。

2.12 品質マネージメント体制には,組織構成,手順,工程,資源の他,原薬が目的とする規格に適合する信頼性を保証するために必要な活動が含まれていること。品質に係る全ての活動を明確に示し,文書化すること。

2.13 品質部門は製造部門から独立し,品質保証(QA)及び品質管理(QC)の責任を果たすこと。なお,品質部門は,組織の規模及び構成により,別々のQA部門及びQC部門の形態をとる場合があり,また,個人又はグループの形態をとる場合がある。

2.14 中間体・原薬の出荷判定者を特定すること。

2.15 品質に係る全ての活動は,それを実施した時点で記録すること。

2.16 設定手順からの逸脱は,いかなるものも記録し,その内容を明らかにすること。重大な逸脱については,原因を調査し,その調査内容及び結論を記録すること。

2.17 原材料,中間体,原薬等(以下「原材料等」という。)は,品質部門の評価が十分に完了するまで,出荷・使用を行わないこと。ただし,10.20に示された区分保管中の中間体・原薬の出荷,もしくは評価が未完了の原材料・中間体の使用を許可する適切なシステムが存在する場合はこの限りではない。

2.18 規制当局の査察,重大なGMPの逸脱,製品欠陥及びこれらに関連する措置(例えば,品質に係る苦情,回収,規制への対応等)について,適切な時期に責任ある経営者又は管理者に報告する手順書を用意すること。

監査の視点

照査する文書例：①品質方針，②職務記述書，③組織図

質問例
- 品質方針は，この製造所の人員すべてを対象にしていますか？
- そこには経営者も含まれていますか？
- 各部門の責任者が決められ，その責任範囲は文書化されていますか？
- 品質部門は，製造・営業部門から独立しており，他の部門の影響を受けずにその業務を行っていますか？
- QMSの範囲を示してください。原料の受入れから出荷までのすべての活動が含まれますか？
- ICH Q7に規定された事項は文書化され遵守されていますか？ 文書を示してください。
- 経営層にはGMP上の重大な事項が報告されますか？ その手順は文書化されていますか？

監査のポイント

　品質マネージメントは，GMPの骨格をなすシステムの総称であり，品質方針，職務記述，組織図からなる基本文書に，GMPの全体が集約されている。監査で照査する点は，必要な職務・責任範囲が決められ，職務に適した，教育訓練を受けた人材が指名されているか，QMSの運営上必要な数の資格を有する人材が登用されているか等である。また常勤，契約社員，臨時社員の個別の数を把握する。品質システムの中で重要な役割を担う部門は兼任，非常勤のような勤務体系は認められない場合がある。また，GMPは経営層を含め全社で取り組むシステムであることが規定，認証されているかも確認する。品質部門は，製造・営業部門から完全に独立・分離された組織でなければならない。GMPの3原則を推進するために必要な文書・手順が揃っていることを確認することが必須である。

リスク・観察事項例

- 品質部門が独立していない，GMP・QMSに必要な文書が揃っていない場合は，コンプライアンス上の重大なリスク・観察事項である。
- 職務の兼任が多い場合は，リスク・観察事項である。特に製造部門と品質部門の責任者が兼務となっている場合は，品質保証が十分できない可能性の重大なリスク・観察事項である。
- 年間のロット・バッチ数に対する品質部門の人数が少ない場合，十分に品質管理，品質保証ができていないことが推定される。例えば品質部門1人あたり年間100ロット・バッチを取り扱う場合などは，重大なリスク・観察事項である。
- 経営層がGMP/QMSに関与していない場合は，コンプライアンス上の重大なリスク・観察事項である。

2.2 品質部門の責任

2.20 品質部門は，品質に係る全ての事項に関与すること。

2.21 品質部門は，品質に係る全ての文書を適切に照査し，承認すること。

2.22 独立した品質部門の主要な責任は委任しないこと。

監査の視点

照査する文書例：①GMP組織図，②職務規定
質問例
- 品質部門は積極的に品質問題に関与していますか？
- 活動の実例を示してください。
- 他部門に委嘱している責任の一覧とその承認文書を示してください。
- 品質部門が照査・承認している文書の一覧を示してください。
- 前年度の生産・出荷製品数（概数）を示してください。また，出荷試験，出荷判定に従事した品質部門の人数を示してください。

監査のポイント

　品質部門が積極的に品質問題に取り組むことが要求されている。監査では，品質部門がどの程度積極的に品質問題に関与しているかを確かめる。計画書（プロトコール）の作成・承認，変更管理・逸脱管理に品質部門（QA）が関与しているか，また全体像を掌握して，監査の席上で品質部門が対応するかを確認する。特に，品質部門の責任者が掌握しているかである。他の部門に委嘱している責任事項として，品質部門に特有なものまでも委嘱していないことを確認する。

Check リスク・観察事項例

- 品質部門が積極的に品質問題に関与していない，責任者が部下に任せて品質問題を掌握していない場合は，品質保証が十分に行われていない，もしくは是正が適切に行われていない重大なリスク・観察事項である。
- 品質部門が他部門に委嘱している責任事項が，出荷判定，品質試験の判定，逸脱処理等の重要事項も含んでいる場合は，品質保証上，不適合品が恣意的に出荷される可能性の重大なリスク・観察事項である。
- 品質部門の責任者が，出荷の工程に責任を持つためには，品質保証の仕組みを理解していることが前提であるが，形式的に文書，CoA，出荷判定を行っているとしたら，改ざん等を誘因するリスク・観察事項である。

その責任は文書化され，かつ，以下の事項を含むこと。

1. 全ての原薬の出荷判定。また，中間体を製造した企業の管理体制の範囲外で当該中間体が使用される場合において，当該中間体の出荷判定。
2. 原料，中間体，包装材料及び表示材料について，合否判定体制を確立すること。
3. 原薬を出荷配送する前に，該当するロットの重要工程に係る全ての製造指図・記録及び試験室管理記録を照査すること。
4. 重大な逸脱が，調査し，解決されていることを確認すること。
5. 全ての規格及び製造指図書原本を承認すること。
6. 中間体・原薬の品質に影響する全ての手順を承認すること。
7. 内部監査（自己点検）が実施されていることを確認すること。

8. 中間体・原薬の受託製造業者を承認すること。
9. 中間体・原薬の品質に影響する可能性のある変更内容を承認すること。
10. バリデーション実施計画書及び報告書を照査し,承認すること。
11. 品質に係る苦情について,調査され,解決されていることを確認すること。
12. 重要な装置の保守・校正のために効果的なシステムが用いられていることを確認すること。
13. 原材料等に対して,適切に試験が行われ,その結果が報告されていることを確認すること。
14. 適切な場合には,中間体・原薬のリテスト日又は使用期限及び保管条件を裏付ける安定性データが存在することを確認すること。
15. 製品の品質の照査を実施すること(第2.5章で規定)。

監査の視点

照査する文書例:①品質方針とQAの責任文書

質問例
- 品質部門の責任を説明してください。
- 何名が品質部門に所属していますか?
- 品質関連の職務は分担していますか?
- (担当者を指名して)責任範囲を示してください,兼務の責任は何ですか?

監査のポイント

　品質部門は,GMP/QMSでは中心的な存在である。このため,品質部門が監査においても中心的,積極的に品質問題,GMPの課題に関わっているかが監査で確認すべき中心的事項となる。また,監査の際には必ず品質部門の責任者が同席して,監査の進行を行うのが理想像である。なお,すべての承認書類を品質部門が照査して,訂正を指示しているかを監査の中心にしても過大ではない。

Check リスク・観察事項例

- 品質部門の責任が明確にされていない，担当者が任命されていない，品質部門の人数が少なく，兼任を続けている状態であれば，品質保証が十分に行われていないリスク・観察事項である。
- 品質部門が積極的に品質問題に関与していない，GMPの諸問題に対して中心になり取り組んでいない等，品質部門の役割があいまいであれば，品質保証が行われていない，是正機能が有効でない，もしくは不適合品が恣意的に出荷される可能性の重大なリスク・観察事項である。
- 品質部門が，逸脱等の発生時に現場確認を行うことが具体的に示されないときは，机上のみで逸脱処理を行っていると推察され，根本原因が調査されない，また根本原因に対してCAPAが行われないリスクが高い。

2.3 製造部門の責任

製造部門の責任は，文書化され，かつ，以下の事項を含むこと。

1. 文書化された手順に従って，中間体・原薬の製造指図を発行し，照査し，承認し，配布すること。
2. 予め承認を受けた製造指図に従って，中間体・原薬を製造すること。
3. 全てのロットの製造指図・記録を照査し，当該製造指図・記録が完結し，署名されていることを確認すること。
4. 製造時の全ての逸脱が報告され，評価され，重大な逸脱が調査され，その結論が記録されていることを確認すること。
5. 製造設備が清浄であり，また，必要な場合には消毒・滅菌されていることを確認すること。
6. 必要な校正が実施され，その記録が保管されていることを確認すること。
7. 設備及び装置が保守され，その記録が保管されていることを確認すること。
8. バリデーション計画及び報告書が照査され，承認を受けていることを確認すること。
9. 製品，工程又は装置について変更しようとする内容を評価すること。
10. 設備及び装置が新規である場合，及び改修した場合であって，必要と認められる場合には，当該設備及び装置の適格性を確認すること。

監査の視点

照査する文書例：①品質方針，②職務規定
質問例
- 製造部門の責任範囲を説明してください。
- これらの責任範囲を文書化していますか？ 文書を示してください。

 ## 監査のポイント

　製造部門の職務範囲が，ICH Q7に規定されたすべての条項を満たしていることは当然であるため，通常製造部門の責任範囲を規定した文書に記されている。
　実際にプラントツアーを行ったときに，規定された職務が行われているかの確認を行う。特に問題になった事例では，規定された職務の実施記録が適切に残っていないことが多く報告されているので，確認は必須である。

 ### リスク・観察事項例

- 品質方針，製造部門の責任が，Q7の要求項を満たしていない場合は，コンプライアンス上の重大なリスク・観察事項である。

2.4 内部監査（自己点検）

2.40 原薬に係るGMPを遵守していることを確認するために，承認を受けた日程に従って定期的な内部監査を実施すること。

2.41 内部監査結果及び是正措置を記録し，当該企業の責任のある経営者の注意を喚起すること。合意された是正措置は，適切な時機に，かつ，有効な方法で完了すること。

 ## 監査の視点

照査する文書例：①自己点検SOP，②内部監査SOP，③監査ログブック
質問例
- 内部監査（自己点検）の頻度は年に何回ですか？
- 実施者はどのように組織化されていますか？

- 監査員はどのように委嘱され，教育訓練・認証されるか示してください。
- 内部監査の結果，CAPAが経営者に報告される手順を示してください。
- CAPAはどのように承認され，実効性を観察されるのですか？

監査のポイント

　内部監査報告書は，ベンダー監査時，公開を求めることのできない文書の1つである。このことを念頭に，内部監査（自己点検）の実施頻度，内部監査員の資格・構成，監査報告書の経営層への報告フロー，CAPAの実施計画の概略をたずねることが監査の場面で必要になる。ただし，聞き取りをする中で，内部監査が形式的に行われていないか，また，監査が馴れ合いの監査になっていないかを確かめるために注視を怠らないことが重要である。

リスク・観察事項例

- 内部監査（自己点検）を実施していない，経営層へ報告していない場合は，品質保証が行われていない，是正機能が有効でない可能性のリスク・観察事項である。
- 監査頻度が年一回より少ない場合は，是正機能が有効でない可能性のリスク・観察事項である。

2.5 製品品質の照査

2.50 工程の恒常性の確認を目的として，定期的に原薬の品質照査を実施すること。品質照査は，通常，年一回実施し，記録すること。この品質照査には，少なくとも，以下の事項が含まれること。

- 重要な工程内管理及び原薬の重要な試験結果の照査
- 設定した規格に適合しない全てのロットの照査
- 全ての重大な逸脱又は不適合及び関連する調査内容の照査
- 工程又は分析法について実施した全ての変更の照査
- 安定性モニタリングの結果の照査
- 品質に関連する全ての返品，苦情及び回収の照査

- 是正処置の妥当性の照査

2.51 製品品質の照査の結果を評価し，是正措置又は再バリデーションの必要性を検討すること。これら是正措置の理由を記録すること。合意された是正措置は適切な時機に，かつ，有効な方法で完了すること。

監査の視点

照査する文書例：①年次照査SOP，②過去3年間の年次品質照査報告書
質問例
- 年次照査のログブックを示してください。
- 全製品・中間体を含んでいますか？
- 年次照査ではどの項目を照査しますか？　何を指標・合格基準にしますか？
- 各項目のトレンド分析を行いますか？
- トレンド分析で異常値が発見された場合はどうしますか？
- 前年度に発見されたトレンド，品質問題がどのように改善されたかを示してください。
- 品質照査は期日通りに終了していますか？　何件の品質照査を，何人で担当していますか？

監査のポイント

　決められた期間に製造された製品を統計的に，さらにQMSの観点から照査することで，製品が一定の範囲内の変動で製造されている，もしくは製品品質は定められた範囲内に制御され，品質は一定であることを検証することができる。そのような評価により，QMSの欠陥が見えてくる。また，見出された欠陥は是正されることにより改善サイクルが回り，品質システムの向上が図られる。

　監査官が着目すべきは，年次照査の深さ，確実度と同時に，照査によって明らかになった欠陥のCAPAが機能しているかという点である。この検証のために，前年度の年次照査で見出されたトレンド異常，欠陥が，次年度の品質活動に継続のうえCAPAが実施され，その効果が次年度の年次照査に反映されているかを確認する。

　要求項を満たす目的で年次照査がされていないか？　QMSの欠陥（逸脱，苦情，OOS等）の管理が滞ることなく適切に処理され，再発が防止されているか？　経営層は，年次照査の報告を受領して，そのアウトプットを発しているか？　経年・過年度の課題が積み残すことなく，適切に処理されているか？　さらには，アラート・アクションレベルが年次照査で見直されているかを確認する。年次の照査の範囲に，製造の重要パラ

メータ，重要品質管理項目が統計的に評価され，そのトレンドが分析されているか？それらの重要パラメータのトレンドが，上昇・下降，不安定な傾向にあるときCAPAが発動していることも，監査での確認事項である。

　品質照査すべき製品数に対して担当者が少ない，また製品等を熟知していない担当者の場合，異常・トレンドの変化を見過ごすリスクが高い。

Check リスク・観察事項例

- 往々にして形式的な年次照査に陥る傾向にあり，その傾向が報告書にみられる場合は，品質保証が行われていない，是正機能が有効でない可能性のリスク・観察事項である。
- 年次報告が経営層に伝達されていない，または経営層が年次照査を受領してアウトプットを発していない場合は，品質システムが機能していない・是正機能が有効でない可能性のリスク・観察事項である。

3

従業員

3.1 従業員の適格性

3.10 中間体・原薬の生産を実施し監督するために,適切な教育訓練を受け,又は経験を有する適任者を適切な人数配置すること。

3.11 中間体・原薬の生産に従事する全従業員の責任を文書で規定すること。

3.12 適任者による教育訓練を定期的に実施すること。なお,それぞれ従業員の教育訓練は,少なくとも,当該従業員が行う作業及び職務に係るGMPの訓練を含むこと。また,教育訓練の記録を保管し,定期的に評価すること。

監査の視点

照査する文書例:①教育訓練SOP,②教育訓練計画と実施記録,③技能認定SOP,④職務定義・職務経歴書,⑤組織図と人員構成を確認できる資料

質問例

- 従業員数は何人ですか? 監督職は何人ですか?
- 監督職の要件を示してください。監督職はその職務に適合した人材を配置していますか?
- 製造工程はコンピュータ化されていますか? されていないならば,1人で作業を行うことは認められていますか?
- (職務を指定して)この職務の定義と担当者の職務経歴書を示してください。
- 兼務している職務を示してください。
- 職務が偏っていませんか?
- 教育訓練記録,計画,実績を示してください。
- (職務を指定して)この職務の定義と教育訓練記録は妥当ですか?
- 作業員はどのように教育訓練を受けて認証されますか?

- 再認証はどのくらいの頻度で行われますか？
- 認定できない場合どう対応しますか？　不認定の作業員の業務は再検証されますか？

監査のポイント

　GMP下での製造・品質管理・品質保証等の業務経験があり，実作業に通じて，監督できる人材を必要数確保しているか，また，各部門に能力を有する認定された人材が監督職として任命されているかという点が主な確認事項になる。特にGMPに関する認識・理解度がどのように認定されているかが注意点である。必要であれば，職務経歴書でその能力を確認することもできる。監督職の人材が，必要以上の兼任がされていないか。

　製造部門と品質部門との兼任は避けねばならないことなので，組織図・職務図から確認する。また，監督職でない従業員に関しても，適切に教育訓練された人材が必要数いるかどうかを確認する。製造部門の従業員が行う技能が定期的に再評価・認定されているかを確認する。

Check リスク・観察事項例

- 適正数の監督職，作業員が確認できない場合は，品質保証が行われていない，是正機能が有効でない可能性のリスク・観察事項である。特に極端に作業員に比較して監督職が少ない場合は，品質管理が行われていない，是正機能が有効でない可能性の重大なリスク・観察事項である。
- 定期的に監督職，作業員の適格性・技能に関する教育訓練・認証が行われていない場合は，GMPコンプライアンス上の重大なリスク・観察事項になる。
- 全職員の職務・責任が文書化されていない場合は，品質システムが機能していないリスク・観察事項となる。
- コンピュータ化されていない製造工程で1人の作業が認められていることは，誤謬・改ざんのリスクがあり，観察事項になる。

3.2 従業員の衛生

3.20 従業員は，適切な衛生管理と健康管理を実施すること。

3.21 従業員は，従事する生産作業に適した清潔な衣服を着用し，必要な場合には，交換すること。また，中間体・原薬の汚染を防止するため，必要に応じて，頭，顔，手及び腕にカバーその他の保護具を着用すること。

監査の視点

照査する文書例：①更衣基準SOP，②更衣SOP，③衛生管理方針，④洗浄バリデーション／更衣バリデーション

質問例
- 定期的に健康診断等の健康管理を行っていますか？
- 作業前の健康確認は行っていますか？ 異常があった場合作業に従事させませんか？
- 製造所は，十分な衛生管理がなされていますか？
- 服装規定は定めてありますか？ 防具はリスクに応じて定めてありますか？
- 衣服・作業着は適切に交換，洗浄していますか？ 洗浄は委託していますか？
- 衣服・作業着の洗浄はバリデートされていますか？

監査のポイント

　労働衛生法上，従業員に対する定期的な健康診断を行い，従業員が健康な状態で従事できることを製造所が行っていることを確認する。製造所内において，従業員の作業場の健康被害防止，製造所の衛生を維持するための管理を行っているかを確認する。その1つとして，清潔な作業服・防護服の貸与を行っているか，作業所内で着用している作業服・防護服が清潔な状態に保たれているか，清潔状態を管理している作業服・防護服であるかをチェックすることが必要である。また，作業服・防護服は定期的に洗濯して，その清潔度が保たれているかも確認する。洗浄法が確認されている必要があるので，個人が個別に作業服・防護服を洗浄することは好ましくない。清浄度が高く要求される区域で着用する作業服・防護服は，洗浄・殺菌の処理が必要である。無菌区域で着用する作業服・防護服に関しては，着用時の無菌試験のバリデーションを定期的に行う必要がある。作業服・防護服に限らず必要な保護具が使用できるようにあらかじめ準備されている必要がある。これらの保護具が適切に，必要数，必要なグレードで準備されていることを確認する。準備されている保護具が，汚染防止に有効である根拠も確認する。品質試験室等に，指定された保護具なしに入場していないかを注視しておくことも重要で

ある。

> **Check リスク・観察事項例**
> - 作業服・防護服，保護具が適切な数と質で確保されていない，使用できる状況にない場合は，混同・汚染防止上のリスク・観察事項になる。また，その準備された保護具等が，使用目的に適していない場合も混同・汚染防止・作業員の曝露防止上のリスク・観察事項になる。
> - 指定された作業具・保護具が着用されていない場合はコンプライアンス上のリスク・観察事項になる。
> - 作業服・防護服の洗浄が個人の責任に任されている場は，混同・汚染防止・作業員の曝露防止上のリスク・観察事項である。

3.22 従業員は，中間体・原薬への直接の接触を避けること。

3.23 喫煙，飲食，ガムを噛むこと及び食品の貯蔵は，作業区域から隔離した指定された区域に限定すること。

監査の視点

照査する文書例：①衛生管理方針，②保護具の着用基準，③製造所の区分
【質問例】
- 中間体・原薬・製品のリスクに基づいて作業服・防護服，保護具の装着が規定されていますか？
- 保護具の性能の妥当性は検証されていますか？
- 飲食・喫煙は制限されていますか？
- 飲食・喫煙の場所は指定されていますか？　その場所は，製造・品質管理の区域から十分隔離されていますか？

監査のポイント

　衛生管理上ならびに中間体・原薬・製品への汚染防止の観点から，直接人体が接触することは避けねばならない。接触する作業では，必ず作業服・防護服，保護具の着用が

求められる。

　汚染防止の観点から，製造区域・品質試験区域内での飲食等は，厳格に禁じられる。休憩室を含め，飲食・喫煙を行う場所は，製造区域・品質試験室区域外に設置し，その設置場所で飲食を行うようにすること。特にガム等を持ち込むことは見落とされることがあるが，禁止されていることを確認する。トイレでの喫煙が認められる場合があるので，これも確認する。プラントツアーで，喫煙場所，休憩場所を確認して，適切に運営されていることを確認する。

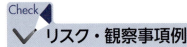
リスク・観察事項例
- 製造区域内で作業服・防護服，保護具を着用しない状態での作業が認められていれば，汚染防止・作業員の曝露防止上のリスク・観察事項になる。
- 喫煙，飲食が製造区域・品質試験区域内で認められていればコンプライアンス上の重大なリスク・観察事項である。

3.24 従業員が原薬の品質の信頼性を低下させるおそれのある健康状態（感染性の疾患に罹患している場合又は露出した体表面に裂傷がある場合）にある場合は，作業に従事しないこと。また，診療又は監督者の観察により，明らかな疾患又は裂傷を有することが認められた者には，当該疾患又は裂傷が原薬の品質に悪影響を与えるおそれがある場合には，その状態が回復するか，あるいは認定を受けた医療責任者が，作業に従事しても原薬の安全性又は品質を損なわないことを判定するまで，作業に従事させないこと。

監査の視点

照査する文書例：①健康管理SOP
質問例
- 作業開始前に健康状態の確認は行っていますか？
- 健康上の問題が見つかれば業務から外しますか？
- 必要に応じて医師の許可が出るまで作業から隔離しますか？
- パンデミックの対策は立案してありますか？

監査のポイント

　汚染防止，作業者被曝の対策が図られているかを監査する。従業員の健康管理に関するSOP・基準が有効であるか？　年次での健康診断が行われているか？　その結果が評価され，GMP作業に支障がある場合（たとえばアレルギー，皮膚炎等）は治療を指示，完治するまで，GMPの品質に関する作業に従事させないといったSOPがあるか？　ない場合，どのような手段で作業員の健康管理を行っているのかを確認する必要がある。日常の健康管理をどのように行っているかも重要である。近年，厚生労働省より要請があったパンデミック発生時の医薬製造所の対策が備わっているかも必須の確認事項である。

リスク・観察事項例

- 年次，日々の健康管理が行われていない，もしくは作業前の申告・照査が行われていない場合は交叉汚染防止・コンプライアンス上のリスク・観察事項である。特に無菌作業では，交叉汚染防止上の重大なリスク・観察事項になる。

3.3 コンサルタント

3.30 中間体・原薬の製造及び管理について助言を行うコンサルタントは，関与する問題について助言を与えるための十分な教育，訓練及び経験を積んでいること。

3.31 コンサルタントの氏名，住所及び資格並びにコンサルタントが提供するサービスの内容の記録を保管すること。

 ## 監査の視点

照査する文書例：①コンサルタント管理規定

質問例
- コンサルタントは起用していますか？
- その経歴等から能力を評価していますか？
- 業務契約書を見せてください。
- 職務責任は規定してありますか？

監査のポイント

　コンサルタントは，GMP業務のサポート役であるため，その専門性，有効性を確認・把握していることが望まれる。特に，コンサルタント起用のSOPが備わっているか，コンサルタントの素養・能力は評価されているか，コンサルタントの業務が定義されているか，業務契約が締結されているか，定期的に業務の見直し・評価がされているかを確認する。

> **Check リスク・観察事項例**
>
> - コンサルタントを起用しているにもかかわらず，SOPや役務提供の契約書がない場合は，コンプライアンス上のリスク・観察事項である。
> - コンサルタントが，製造所の業務の一部を肩代わりしてGMPシステムの業務を実施している場合は，コンプライアンス上の重大なリスク・観察事項になる。

4

構造及び設備

4.1 設計及び建設

4.10 中間体・原薬の製造に使用する構造及び設備は，製造の形態及び段階に適し，清掃，保守及び作業を容易とするように配置し，設計し，建設すること。また，設備については，汚染のおそれを最小にするように設計すること。中間体・原薬について微生物学的な規格を設定した場合には，設備は特定の微生物による汚染のおそれを適切に制限するように設計すること。

4.11 構造及び設備は，混同及び汚染を防止するため，装置及び原材料等を整然と配置するのに適した面積を有すること。

4.12 装置自体（例えば，閉鎖系又は囲い込み方式）で原材料等を適切に保護できる場合は，当該装置は屋外に配置することがある。

4.13 構造又は設備内の原材料等及び従業員の動線は，混同又は汚染を防止するように設計すること。

 監査の視点

照査する文書例：①製造設備，倉庫の平面図，②物・人の動線，③吸気・排気の図面，④清浄区域の差圧，⑤サイトマスタープラン

質問例

- この施設の設計は，リスクを考慮した設計ですか？
- 動線（物・人），差圧・風向，排水がリスクを軽減するように設計された図面を示してください。
- 汚染防止が施された区域を示してください。汚染の拡散を防ぐ区域は設けてありますか？

- 床，壁は洗浄しやすい材質，構造ですか？
- 製造設備・機器は汚染防止を考慮したうえで設計されていますか？
- 汚染防止はどのような基準で判定されていますか？
- ホットスポットはありませんか？

監査のポイント

　まずは汚染防止，混同防止を考慮した構造，製造設備の配置になっているかを確認する。そのためには，物理的な隔離，障壁，十分な空間が確保されているかを確かめ，十分な物理的隔壁空間が取れなければ，運用面で汚染防止が図られているかを聴取する。また，物，人の動線が明確化され，交差している箇所があるか，もしくは最小限化が図られているかを確認する。

　空気の流れ，差圧が汚染の防止，拡散を防ぐ構造になっているか，特に製造現場に原材料の滞留，仕掛品の滞留がないか，起こる構造になっていないかも入念にチェックする。

　製造現場，クリーンルームは洗浄・殺菌ができる構造，内装を施していなければならないので，その材質・構造を確認する。製造所，品質検査試験室，倉庫等のGMP施設は，汚染されにくく，洗浄しやすい構造に設計されていなければならない。さらに，汚染源となるくぼみ，隙間は補修され，角部分は一定の曲線で加工されていることが要求されるので実態を確認する。

リスク・観察事項例

- 洗浄しやすい構造になっていない，汚染源となる天井・壁・床のくぼみ，壁天井の結合部の隙間，亀裂等がプラントツアーで見出された場合，さらに補修計画がない，長期間放置されていることが推測されるならば，交叉汚染防止上のリスク・観察事項である。
- 製造機器，包装機器等の間隔が狭く，混同の可能性が予測されるならば，不適合品が出荷される，もしくは混同のリスク・観察事項である。

4.14 次の事項については，特定の作業区域又はその他の管理体制を設けること：

- 入荷原材料等の受入，確認，検体採取及び区分保管並びに合否判定待ち；
- 中間体・原薬の合否判定前の区分保管；
- 中間体・原薬の検体採取；
- 不合格原材料等の処分（例えば，返品，再加工又は廃棄）前の保管；
- 合格原材料等の保管；
- 製造作業
- 包装及び表示作業；及び
- 試験作業

監査の視点

照査する文書例：①衛生管理方針，②保管SOP，③倉庫の平面図（動線，サンプリング室を明記），④各ステータスの区分保管図，⑤製造場所の区分（フロアプラン），⑥品質試験のためのサンプリングSOP

質問例
- 製造所の平面図を示してください。
- 最初に入庫待ちの原材料を確認する場所を示してください。
- （倉庫で）試験中，適合，不適合の保管場所を示してください。
- 不適合品は施錠管理していますか？
- 在庫量のログブックはありますか？
- 試料の採取場所は独立していますか？　汚染防止の手段が施されていますか？
- 包装，ラベル添付の作業区域では，汚染防止，混同防止の措置がなされていますか？
- 試験中，適合，不適合はPC上の状態管理で行うのですか？
- このシステムはコンピュータバリデーションを行っていますか？　ストレスをかけてのバリデーションですか？
- 試験中，適合，不適合の状態の変更は誰が行うのですか？　品質部門ですか？
- それ以外の従業員が行うことができないように保護措置が行われていますか？
- 製造区域と試験区域は，影響がないように区分されていますか？

監査のポイント

　原料の受入れは，GMPが製造所での基点である。受入検査が適切に行われていることを監査員は入念に確認する。監査の手法としては，まず工場へ原料が到着する際の手順を確認することから始まる。今後推進されるGDPにおいては，重要原料の輸送はあらかじめ登録・認証された輸送業者・登録された運転手が行うことが必要になる。セキュリティの観点から，化学品テロの対策も求められる。特に，輸送上の安全性を確保するために確立された輸送手段が求められるので，その対策・手順を確認する。

　到着後，原料（荷）が倉庫に搬入される前には，ロジスティック担当者により，到着した原料は認定されたベンダーによって製造されたか，発注・送り状の記述と到着した原料（荷）のラベルが一致するか等の確認，外観検査・外部損傷・封印の完全性の確認が行われる手順が定められているかを確認する。

　手順に従って確認後，原料は倉庫内に搬入されるが，その際識別・ステータス管理が適切に行われる手順が定めてあるかを確認する。ラベル管理は，先入先出しが適切にできるシステムであるかを確認する。混同防止のため，検査中，適合，不適合が視覚的に区別されているか，各ステータスの原材料が混同されないように物理的に分離・隔離されているかチェックする。不適合品は，誤って使用されないよう施錠管理されている必要がある。汚染防止，品質低下防止の手段や防虫プログラムの確認も必要になる。

リスク・観察事項例

- 下記が観察されれば，混同防止上のリスク・観察事項である。
    - 明確なステータスラベルの表示が欠如
    - 検査中・適合の原材料の置き場が隔離されていない
    - 不適合品置き場が施錠管理されておらず，容易にアクセスできる
    - 認定されたベンダー・原材料リストに基づく受入確認を行っていない
- 下記が観察されれば，品質低下・混同防止上のリスク・観察事項である。
    - 防虫管理プログラムがない。発生のモニタリングが行われていない
    - 隙間，破損，水漏れ箇所がある
    - 倉庫内の温度マッピングが行われていない
    - 温度マッピングに基づく温度管理がなされていない

4.15 適切で清潔な手洗い設備及びトイレット設備を従業員に用意すること。これらの手洗い設備には，必要な場合には，水又は温水を備えること。また，石鹸又は洗剤並びにエアドライヤー又は使い捨てタオルを備えること。手洗い設備及びトイレット設備は作業区域から分離し，かつ，容易に利用できるように配置すること。必要な場合は，シャワーや更衣のための適切な設備を設置すること。

4.16 試験区域・試験作業は，通常，製造区域から分離すること。ただし，特に工程内管理に使用する試験区域については，製造工程の作業が試験測定の精度に悪影響を与えず，また，試験室及びその作業が，製造工程，中間体・原薬に悪影響を与えなければ，製造区域に配置する場合がある。

監査の視点

照査する文書例：①衛生管理基準／方針，②工場の平面図，③サイトマスターファイル

質問例
- 従業員と洗面台・トイレの数の比率は妥当ですか？　その根拠は？
- 適合した水質の水・温水が十分量供給されていますか？
- 洗浄後の乾燥のため，使い捨てのタオル・温風乾燥機が備わっていますか？
- トイレ・シャワー室は，製造に影響を及ぼさない区域に設けてありますか？　そこに到着するには動線は複雑ではないですか？
- 製造区域と試験区域は，影響がないように区分されていますか？

監査のポイント

　　品質試験室は，製造区域から分離した位置にあるかを確認する。製造区域内に品質試験室があるならば影響がない状態であることが検証・証明されている必要がある。手洗い設備，トイレの設備は，従業員数に見合った数が設備されているか，清浄区域の異なる場合は，それぞれの入口に手洗い設備が整備されているかを確認する。清浄区域ごとに，適切な面積を持つ更衣室が備わっているかを確認する。更衣室では，交叉汚染防止の手段が講じられているかも着眼点の1つである。

リスク・観察事項例

- プラントツアー，サイトマスターファイルから，製造・試験室の区分管理が不十分（同じ建屋で隔離壁が不十分等），衛生・更衣設備の数が従業員数，製造所の規模と対比して少ない場合，交叉汚染・混同防止上のリスク・観察事項となる。

4.2 ユーティリティ

4.20 製品の品質に影響を与えるおそれのある全てのユーティリティ（例えば，蒸気，ガス，圧縮空気及び加熱・換気空調システム：HVAC）は管理規格に適合するとともに，適切にモニターされること。また，限界値を超えた場合には，必要な措置を講じること。これらのユーティリティシステムの図面は利用できるようにしておくこと。

監査の視点

照査する文書例：①設備計画，②平面図（温度調整／吸気／換気の風向図），③HVAC構造図，④ガス，圧縮空気の配線管図，⑤保守計画

質問例
- 中間体・原薬・製品の品質に影響を及ぼす可能性がある，もしくはリスクがあるすべてのユーティリティは適切に識別されていますか？　その管路，配置図を示してください。
- 蒸気，圧縮空気，不活性ガスの規格は文書化されていますか？
- HVACシステムの規格（換気回数，風量・風速，温度・湿度）を示してください。これらの規格は適時モニターされていますか？
- 管理幅は設けてありますか？
- 管理値を逸脱したときの対応手順を示してください。

監査のポイント

　製品等に直接接触するガス・圧縮空気は，清浄な状態に保たねばならないので，その清浄度を担保するためのフィルター等の完全性の検証がなされている必要がある。製造区域，特に清浄区域を適切な温度，湿度，清浄度に保つために適切な能力をもつ設備であるかを確認する。

設備のDQ, IQ, OQならびにPQは適切に行われたか, 各設備に関して温度, 清浄度, 湿度が定期的にモニターされているかを確認する。モニター結果は, 定期的に照査されているか, またその結果に基づいてアラート・アクションレベルが定められているかもチェックする。アラート・アクションレベルを逸脱したときの対策が定められているかも重要である。

> **Check リスク・観察事項例**
>
> - DQ, IQ, OQならびにPQの計画書, 報告書が文書化されていない, 品質部門の照査が行われていない場合は, 品質低下の可能性があるリスク・観察事項になる。
> - すべてのユーティリティのリスト, 図面が揃ってはいるが, 品質部門の承認がない場合は品質保証が適切に行われていないリスク・観察事項になる。
> - アラート・アクションレベルが設けられていない, 年次照査でアラート・アクションレベルの見直しがされていない, 逸脱したときの対策が文書化されていない場合は, 交叉汚染防止の不備, 品質低下の可能性があるリスク・観察事項になる。

4.21 必要な場合には, 適切な換気・空気ろ過・排気システムを設置すること。これらのシステムは, 汚染及び交叉汚染のおそれを最小にするように設計し, 設置し, また, 製造の段階に即した, 空気圧, 微生物（適切であれば）, 塵埃, 湿度及び温度の管理装置を備えること。原薬が環境に暴露される区域では, 特に注意を払うこと。

4.22 空気を製造区域に再循環させる場合には, 汚染及び交叉汚染のおそれを最小限にするように適切な対策を取ること。

4.23 恒久的に設置される配管は, 適切な手法（例えば, 各ラインへの表示, 文書化, コンピュータ管理システム又はこれに代わる手法）により, 識別されていること。配管は中間体・原薬の汚染のおそれを回避するように配置すること。

監査の視点

照査する文書例：①汚染防止の方針, ②RAMPプログラム, ③クリーンルームの構造図, ④クリーンルーム管理基準（差圧基準, 換気回数, HVACの能力）, ⑤クリーンルームのモニター記録（微粒子, 微生物の測定結果）

質問例
- 交叉汚染に対してはどのような防止策を講じていますか？

監査のポイント

　原薬，中間体，製品のリスク評価によって要求される清浄度に応じて，製造，包装等の工程の環境が制御されることが必要である。特に，無菌性が要求される注射剤，輸液剤，生物製剤等では，微生物の影響を排除するため，特別な区域での製造が要求される。また，抗生物質，ホルモン剤はアフラトキシン・汚染等の防除のため封じ込めの製造条件が要求される。高活性医薬品，バイオシミラーにおいても同様である。国際的な要求事項は，PIC/S GMP ANNEX 1にまとめられている。

　これらの要求事項を満たすために，十分な清浄，隔離能力を有するクリーンルームを確認する。同時に，その能力が十分であること，維持されていることが検証されているかを確認する。設備の物理的な能力，製造の目的への適合，維持・洗浄することの簡便性，人が作業するにあたっての曝露防止，作業性，クロスコンタミ防止等について確認する。これらのことが，装置の導入時，定期的にバリデートされているかを確認する。

リスク・観察事項例

- 清浄基準に合ったHVACの設備を設計していない，設計仕様に設備の経年劣化を考慮して能力に余裕，保守点検がしやすい仕様がない場合は，交叉汚染防止上の重大なリスク・観察事項である。
- 汚染防止のための対策が行われていない，たとえば，HVACが製造区域に対して独立した構造になっておらず，共通の部分が混同汚染・交叉汚染のリスクがある場合は，品質低下・交叉汚染防止上の重大なリスク・観察事項である。
- 適切な間隔で完全性が確認されていない，バイオバーデンの不適合でCAPAが十分に機能していない場合は，品質保証が適切に行われていない，交叉汚染防止上の重大なリスク・観察事項である。

4.24 ドレイン配管は十分な大きさを有し，必要な場合には，逆流を防止するための空気遮断装置又は適当な装置を備えていること。

監査の視点

照査する文書例：①配水管の管路図等

質問例
- ドレインの口径はどのくらいですか？
- 十分な口径であるかを検証していますか？
- 排水が逆流しないように措置が講じられていますか？

監査のポイント

　汚染防止のため，配水管からの逆流は危険性が非常に高い可能性があり，逆流の可能性を最小限にしているか確認が必要である。逆流は，排水のみならず気体の逆流も対策をとらなければならない。これは，製造所が排水・排気のリスク分析を行う過程で，逆流のリスクを想定して対策しているかを観察することを意味する。

　製造所の設計の段階で，逆流防止の装置をあらかじめ設備していたか，設置後配水管からの逆流のリスクを排除する改良を行ったかなど，汚染に対する製造所の姿勢を読み取り，表面的でなく，排水まで考慮して汚染対策ができているかを確認する。

リスク・観察事項例

- 排水管に逆流防止の措置（隙間）をするか，逆流防止装置を備えるような汚染防止策がとられていない場合は，交叉汚染防止上のリスク・観察事項である。ただし，清浄度が高い（Ⅲ）場合は，重大な観察事項になる。

4.3 水

4.30 原薬の生産に使用する水については，使用目的に適していることを実証すること。

4.31 正当な理由がない限り，工程用の水は，少なくとも，水道法に基づく水質基準又は世界保健機構（WHO）の飲用水質ガイドラインに適合すること。

4.32 飲用水が原薬の品質を保証するのに不十分であり，より厳しい化学的・微生物学的水質規格が求められる場合には，物理的・化学的特性，生菌数，特定微生物及びエンドトキシンのうち必要な事項について適切な規格を設定すること。

4.33 製造業者が，工程で使用する水に対して，水質を確保するために処理を行う場合には，その処理工程を検証し，適切な管理値によりモニターを行うこと。

4.34 非無菌原薬を，更なる処理を経て，無菌医薬品製剤の製造に使用しようとする場合には，当該非無菌原薬としての最終の分離及び精製工程において使用する水は，生菌数，特定微生物及びエンドトキシンについてモニターし，管理すること。

監査の視点

照査する文書例：①精製水の製造フロー，②水質基準，③サンプリングSOP，④定期的保守SOP，⑤定期的殺菌SOP

質問例
- この製造所で使用されている水の区分を示してください。
- 原水は井水ですか，市水ですか，雨水ですか？
- 原水の水質基準は，WHO，USP等の基準に適合していますか？
- 精製水，蒸留水，脱イオン水等を製造，使用していますか？ それぞれの規格を示してください。
- その規格は，USP，JPもしくはEPに適合した規格ですか？ 3局統一規格ですか？
- 規格値は適時モニターもしくは採水・試験し，規格の水質を保持していることを検証していますか？
- 製造用水のバリデーションは行いましたか？

監査のポイント

　水は医薬品の原料の一部であると同時に，溶媒・洗浄目的として比較的大量に使用される。このため，原水，処理して得られる精製水，さらに滅菌した注射用水の水質管理は，監査官の着目する項目である。

　日本は世界的にみてまれな原水が清潔な国である。他の国では，原水の水質は決して良好な状況ではない。また，原水中に含まれる汚染物質等は，少なくともWHOの飲料水の基準に適合していることが望まれる。逆にいえば，水質の悪い原水を用いて反応溶媒，反応機の洗浄に用いることは，製品・中間体を汚染させるリスクが高まることになる。少なくとも，原水の品質は飲料に適した水質が望まれる。また，水は原料であると同時に洗浄に大量に用いられるため，低濃度の不純物・微生物の汚染も製品等に影響を与える可能性がある。この汚染の許容範囲は明確にせねばならないことが留意点となる。また過去の経験から水質に問題がない場合でも，水質の維持に必要な対策，リスク分析をしているかを確認する。たとえば，水質検査・サンプリング頻度と箇所，管路は

循環経路か一方通行か，フィルターの交換頻度，循環経路の殺菌頻度，アラート・アラームレベルの設定と異常値の対処法を確認する。

水質は，他の原料，装置に比較して安定化が難しい項目である．また外的要因に影響を受けやすい．水質は季節変動を受けるため，長期間にわたるモニタリングが必要である．

水中の微生物試験は製造等に使用した後に結果が判明するため，この微生物試験結果を事前に担保する試験項目が必要となる．特にin lineで常時監視できる試験項目が必要なため確認する．

Check リスク・観察事項例

- 水処理のバリデーションが実施されていること，かつフェーズを決めてサンプリング頻度・箇所，四季の水質変動，定時サンプリングする場所等が決められていない場合は，交叉汚染・品質低下のリスク・観察事項である．
- 水質のサンプリングは一定の期間内（たとえば1カ月）にすべての使用箇所（used point）でサンプリングが行われ，水質検査が行われる．サンプリングの手順が決められており，その手順は，汚染防止が盛り込まれた手順になっていることが要求されるが，不十分であれば交叉汚染・品質低下のリスク・観察事項である．
- 水質は年間を通してのトレンド分析がなされていることが要求されるが，実施されていない場合は，品質保証が適切に行われていないリスク・観察事項である．

4.4 封じ込め

4.40 例えばペニシリン類やセファロスポリン類のように強い感作性を有する物質を製造する場合には，設備，空気処理装置及び工程装置を含め，専用の製造区域を用いること．

4.41 例えばある種のステロイド類や細胞毒性のある抗がん剤のように感染性，強い薬理作用又は毒性を有する物質が関与する場合には，検証された不活化工程及び清掃手順又はそのいずれかを確立し，保守しない限り，専用の製造区域の使用を考慮すること．

4.42 ある専用区域から別の専用区域へ移動する従業員，原材料等による交叉汚染を防止するため，適切な対策を確立し，実施すること．

監査の視点

照査する文書例：①製品リスト，②製造場所を明示した製造図面，③RAMPプログラム，④交叉汚染防止SOP（更衣，隔離方針）

質問例
- 抗生物質，高活性物質・ホルモン剤等の封じ込め，隔離が必要な物質の管理基準を示してください。どのように隔離・封じ込めるかを示してください。
- 物理的，地理的，生物学的な手段，もしくはその組み合わせを用いますか？
- 汚染の拡散防止として講じている手段を示してください。
- 外部へ移動時の残留基準，除染手法を示してください。
- 汚染が発生した場合の対策を示してください。

 ## 監査のポイント

　抗生物質は，微量でアナフィラキシーショックを引き起こすことが知られている。また，ある種のホルモン剤はごく微量で作用を引き起こすことが知られている。近年，微量で効果を示す抗がん剤が特異的な副作用を引き起こすことが知られてきた。抗生物質，ホルモン剤は，その他の医薬品への混入を防ぐことが必須であると同時に，個別の抗生物質間の汚染も防がねばならない。汚染防止を確実にするため，製造施設，空調，従業員を含めた専用化と他の製品の製造施設との隔離（物理・地理的な隔離）が要求される。特に抗生物質の製造に携わる従業員と，その他の従業員を区別することが必須となり，必然的に更衣室，食堂等の間接的な汚染の発生する施設の専用化が求められる。汚染の可能性が存在する原料・中間体倉庫，試験室の隔離も必須となる。

リスク・観察事項例

- 製造・保管・試験設備，従業員の厚生施設の物理・地理的な隔離，またその検証がなされていない場合は交叉汚染・従業員の被曝防止，さらには微量の混入による患者の安全性への重大なリスク・観察事項となる。
- 抗生物質・ホルモン剤の製造区域からの汚染防止が有効であることが定期的に確認されていないと，重大な観察事項となる。これらの汚染防止，封じ込めがバリデートされていることと，年次照査され汚染防止が有効であることが検証されていなければ，交叉汚染・従業員の被曝防止，さらには微量の混入による患者の安全性へのリスク・観察事項となる。
- 微量で効果を示すホルモン剤・抗がん剤は，微量成分を検出できる検査法が必須であるため，モニタリング手法がない場合は，交叉汚染・従業員の被曝防止，さらには微量の混入による患者の安全性への重大なリスク・観察事項となる。

4.43 除草剤，殺虫剤等の強い毒性を有する非医薬品の製造に係る作業（秤量，粉砕及び包装を含む）は，原薬の製造に使用する構造及び装置を使用して行ってはならない。これらの強い毒性を有する非医薬品の取扱い及び保管は原薬から分離すること。

 ## 監査の視点

照査する文書例：①製造品目リスト，②隔離基準

質問例
- この製造所では，除草剤，殺虫剤等の毒性を有する非医薬品を製造していますか？
- 製造しているならば，交叉汚染，混同等を防ぐ手段を示してください。
- 保管，試験施設は，共用していませんか？

 ## 監査のポイント

抗生物質・ホルモン剤と同様に汚染防止のため隔離が必要である。Q7のこの項では，除草剤・殺虫剤に限定されるように受け取られるが，この要求事項はすべての有害な化学物質・微生物・天然物からの汚染防止である。製造・保管・試験設備，従業員の厚生施設は専用かつ隔離されねばならない。これらを確認する。

 リスク・観察事項例

- 製造・保管・試験設備，従業員の厚生施設の物理・地理的な隔離，およびその検証がなされていない場合は交叉汚染・従業員の被曝防止，さらには微量の混入による患者の安全性への重大なリスク・観察事項となる。

4.5 照明

4.50 清掃，保守及び適切な作業を容易にするために十分な照明をすべての区域に備えること。

 ## 監査の視点

照査する文書例：①衛生管理基準

質問例
- 照明環境の管理基準を示してください。
- この基準は，安全性・作業性に影響のないことを検証していますか？
- 適時，基準を満たしているかをモニターしていますか？

監査のポイント

照明の照度に関する日本での要求は下記のとおりであり，測定結果はこの範囲にあらねばならない。

　　製　造　　150～3000 lux
　　試験室　　300～750 lux
　　倉　庫　　30～75 lux

クリーンルームの照明装置は，作業面で1000～1600 luxの照度を確保し，無影で均一な照明である必要がある。また，定期的に照度を測定することに加え，dark pointが存在しないことを確認する必要がある。

> **リスク・観察事項例**
>
> - 照度の測定をしていない，もしくは照度のマッピング等でdark pointがないことを確認していない場合は，混同・工程逸脱のリスク・観察事項である。

4.6 排水及び廃棄物

4.60 建物内及び隣接する周囲の区域からの排水，塵芥及びその他の廃棄物（例えば，製造からの固形物，液体又は気体状の副生成物）を，安全で，適時に，かつ，衛生的な方法で廃棄すること。廃棄物の容器及びパイプ類は明確に識別すること。

監査の視点

照査する文書例：①生物由来，血液由来，醗酵等の活性を持つ廃液の不活性化の手順書，②医薬原料廃棄物の不活性化の手順書，③排水基準

> **質問例**
> - 廃棄物・排水の製造所外への排出の手順を示してください。
> - 生物学的に活性な廃棄物・排水は不活性化して廃棄しますか？
> - 毒性的に危険性もしくはリスクが想定される場合，不活性化してから廃棄しますか？
> - 排水管，廃棄の経路は制定されていますか？ 図面を示してください。
> - 汚染防止の手段が講じられていますか？

監査のポイント

　製造所では，微生物・原薬等の封じ込めを行うとともに，廃棄物（固形，排水，排気）に関しても不活性化に取り組まなければならない。そのため，不活性化を兼ねた排水ピット，排気の不活性化のための活性炭フィルター等を設備している必要がある。

　さらに製造所は環境対策を行い，その対策が有効であることの確認が必要である。IQ，OQ，PQで装置の有効性を確認するとともに定期的に環境モニターを実施していることを確認する。その頻度は，少なくとも半年ごとが必要であると考えられる。

リスク・観察事項例

- 排気，排水の不活性処理装置を有していなければ，環境汚染，従業員被曝のリスク・観察事項となる。特に生物由来医薬品関連では，不活性処理装置を有していないことが交叉汚染・混同・環境汚染・従業員被曝の重大なリスク・観察事項となることもある。

4.7 衛生及び保守

4.70 中間体・原薬の製造に使用する構造は適切に保守し，補修し，清潔な状態に維持すること。

4.71 衛生に関する責任を割り当て，清掃の計画，方法，装置並びに構造・建物及び設備の清掃に使用する用具・薬剤等を記述した文書による手順を確立すること。

4.72 必要な場合，装置，原料，包装材料・表示材料，中間体・原薬の汚染を防止するための適切な殺鼠剤，殺虫剤，防かび剤，燻蒸剤及び清掃消毒剤の使用に関する文書による手順を設定すること。

監査の視点

照査する文書例：①製造施設のバリデーション記録（特に衛生管理の視点），②衛生管理基準，③清掃SOP，④清掃記録，⑤承認済み防虫剤（殺虫，殺菌，除草，殺鼠）と製造所内の衛生管理に使用する化学品（殺菌，洗浄剤）のリスト・MSDS

質問例
- 製造に使用する装置・設備の設計基準，材料の選定基準を示してください。
- URS, DQで製造，洗浄の簡便・容易さ，殺菌が容易であることは検証されますか，されましたか？
- 洗浄・殺菌に関する詳細な手順が制定されていますか？
- 使用する洗浄剤等はリスク評価を行ったうえで選定していますか？

監査のポイント

　製造所の構造は，外部からの混入防止と同時に内部での混入源を排除することが要求される。倉庫・製造所・試験室は，隙間等のない閉鎖系であること，排水・排気設備は逆流防止の装置が装備されていることが必須である。特に気候条件が過酷である熱帯（インド，タイ等），亜熱帯（中国，台湾，プエルトリコ等）では，害虫等の発生が大きな脅威となる。このため，定期的に製造所の外部に化学品（殺虫，殺鼠剤）が処理される。これらの化学品が製造所内に混入することは厳に防ぐ必要がある。また，使用される化学品は事前にその安全性等が評価され，承認されることが要求される。このような化学品を散布するにあたり専門業者を起用することが多く発生するが，業者の選定，訓練，認定は事前に行い，それを文書化・記録することが必要である。

　原材料の輸入に使用するコンテナーは，検疫目的で通関前に燻蒸処理されることがあるので，原料製造者との品質契約で，衛生管理に使用する化学品を特定して，記録を残すことをあらかじめ取り決める必要性がある。監査ではこれらを確認する。

Check リスク・観察事項例

- 製造所の衛生管理に使用されている化学品を，品質部門が掌握して承認していない場合は，環境汚染・従業員被曝のリスク・観察事項となる。特に使用記録がない場合は重大な観察事項である。

5

工程装置

5.1 設計及び組立

5.10 中間体・原薬の生産に使用する装置は，その用途，清掃，消毒（必要に応じて）及び保守を考慮して，適切に設計し，適切な規模のものを適切に配置すること。

5.11 原料，中間体・原薬が装置の表面と接触することにより，中間体・原薬の品質が公定規格又は他の設定規格を超えて変質することのないように，装置を組み立てること。

5.12 製造装置は許容された運転範囲内のみで使用すること。

監査の視点

照査する文書例：①工程管理フロー，②製造機器のクオリフィケーション報告書（選択基準が明示されたURS），③PV報告書

質問例

- 製造に使用する装置・設備の設計基準，その材質の選定基準を示してください。
- 製造に使用する装置・設備は製造量に適した容量を有していますか？
- 使用される，採用された装置・設備の表面の材質は，中間体・原薬・製品の品質に影響を及ぼさない，吸着溶出がないことを検証していますか？

監査のポイント

　製造時の安全性を高めるために，装置は製造に適しているのみならず，作業の安全性，取り扱いやすさ，容易な洗浄性，混入防止・変性防止をも考慮して設計・選択することが要求されている。これらをみると，製造所の品質保証の基本姿勢がみえてくる。経済的な効率にのみ注力していると，品質上の問題（異物・前製造残渣の混入，微生物汚染，

不純物の増加等）を潜在的に秘めていることになる。製品・中間体が直接接触の可能性がある装置の材質は，事前に試験することが要求される。また，採用後も定期的に接触した表面の材質に影響がないことを検証することが必要である。いかなる材質も，経年劣化，消耗するため，交換時期・基準をあらかじめ制定する必要がある。

　工程管理のパラメータは，制定された範囲内で評価されていることが必須である。また，工程が1点（狭い範囲）で管理されていることは現実的でない。パラメータが検証された範囲内で設定されていることを確認する。

> **Check**
> ### ✓ リスク・観察事項例
> - 工程管理に採用されているパラメータの範囲がワーストケースベースで評価されておらず形式的に定められた場合は，工程管理を適切に行うことができないリスク・観察事項であり，バリデーションの再実行もしくは検証された範囲にパラメータを変更することが必要との意見をつける。
> - 装置の材質の妥当性が欠如していることは交叉汚染・品質低下のリスク・観察事項である。

> 5.13 中間体・原薬の製造に使用する主要な装置（例えば，反応装置，保管容器）及び恒久的に設置した工程ラインは適切に識別されていること。

監査の視点

照査する文書例：①工場の配置図，②ラインのフロー
質問例
- 装置および配管の図面を示してください。
- 装置および配管が適切に識別できるようにしていることを示してください。

監査のポイント

　原材料の輸送，溶媒，供給水，蒸気，廃棄管，製造空気供給管，HVACの空気配管，精製水の配管等の，製造部門に出入りする管はすべて，内容物の表示と流方向の指示が求められる。また，色分けでの表示でも可である。混同を起こさないように予防措置がなされているか，接合部が専用になり間違いがないように予防されているかを確認する。

リスク・観察事項例

- 工程，ラインの識別がなされていない，流方向が示されていない場合は混同等のリスク・観察事項である。

5.14 潤滑剤，熱媒体，冷却剤等の物質は，中間体・原薬の品質が公定規格又は他の設定規格を超えて変質しないよう，中間体・原薬との接触をさせないこと。この規定から逸脱した場合には，当該物質について，その用途からみた適合性に悪影響がないことを保証するための評価を行うこと。なお，可能な場合には，食品グレードの潤滑剤及び油類を使用すること。

監査の視点

照査する文書例：①現場の表示，②工程図，③使用部材（潤滑油，反応槽）の材質，④汚染防止のSOP

質問例
- 使用している潤滑剤，熱媒体等のリストがありますか？ そのMSDSを保有していますか？
- 使用している潤滑剤，熱媒体は，中間体・原薬・製品に直接接触しない状態で使用されていますか？ 万が一混入しても，安全性に問題のない品質・規格の潤滑剤，熱媒体を使用していますか？ 動物由来の油脂を使用していませんか？

監査のポイント

　潤滑剤，熱媒体は，直接的には中間体，原薬とは接触しない密閉設備構造になっているかを観察する。しかし，たとえば回転機のギヤーボックスより潤滑油の漏れ，反応槽に付随する加熱用ラジエターの接合部（オーリング）の劣化による熱媒体の漏れ・混入等によって事故的に混入する可能性があるので，この部分が定期点検され汚染防止が図られているかを確認する。

　混入等を防ぐため，また万が一混入した場合でも品質に影響がないように予防しているか，混合の可能性のリスクを評価しているかを確認する。誤って混入した場合のリスク評価（混入の容認される閾値，品質に及ぼす影響）が検証されているかも確かめる必要がある。

> ### リスク・観察事項例
>
> - 潤滑剤，熱媒体等の混入可能性のリスク評価，混入時の影響リスク評価を行っていない場合は，交叉汚染・混同・品質低下のリスク・観察事項である。
> - ギヤー油が食品グレードでない場合は，交叉汚染・品質・安全性上のリスク・観察事項である。
> - 定期点検の項目に，潤滑剤，熱媒体等の混入可能性がない場合は，コンプライアンス・交叉汚染・品質・安全性上のリスク・観察事項である。
> - 動物性油脂は，BSE/TSEの汚染リスクがあるため，使用が認められる場合は重大なリスク・観察事項となる。

> 5.15 必要な場合には，閉鎖系装置又は囲い込み装置を使用すること。開放系装置を使用する場合，又は装置が開放されている場合には，汚染のおそれを最小限にするための適切な予防措置を講じること。

監査の視点

照査する文書例：①汚染防止の基準，②平面図，③排水管のトラップ・貯蔵ピットの構造図

質問例
- 中間体・原薬・製品の安全性，微生物汚染を考慮した閉鎖装置・封じ込めの装置・設備を備えていますか？ その管理基準を示してください。
- 管理基準，閉鎖装置・封じ込めの装置・設備は，汚染の拡散を最小限にすることを検証していますか？

監査のポイント

　製造所は，微生物・原薬等の封じ込めを行うとともに，万が一の事故の際に汚染物となる廃棄物（排水，排気）等による環境汚染を最小限にするため，封じ込めのための構造を準備し，放出物に関しても不活性化に取り組まなければならない。そのために，不活性化を兼ねた排水ピット，排気の不活性化のためのスクラバー・活性炭フィルターを設備していなければならないので実態を確認する。

リスク・観察事項例

- 汚染防止，拡散防止の装置・構造がない場合は，重大なリスク・観察事項になる。

5.16 装置及び重要な付帯設備（例えば，計装機器及びユーティリティシステム）については，現状図面一式を保管すること。

監査の視点

照査する文書例：①機器・設備のリスト，②設置場所を含む平面図

質問例
- 装置および重要な付帯設備の図面を示してください。
- この図面は最新版ですか？ 品質部門が照査して承認していますか？

監査のポイント

　製造所は，設置されている機器・設備を文書化せねばならない。またその文書は，現状を反映していなければならない。さらにそのリスト，平面図は品質部門の照査・承認が必要である。また，定期的な見直しが必要であるので，実態を確認する。

リスク・観察事項例

- 品質部門が承認した機器，設備のリスト，設置場所を含む平面図を完備していない場合，コンプライアンス上のリスク・観察事項である。

5.2 装置の保守及び清掃

5.20 装置の予防的な保守のため，責任の割り当てを含め必要な事項について，計画及び手順書を設定すること。

監査の視点

照査する文書例：①保守点検のSOP，②年間保守計画，③保守記録

質問例
- 保守点検を行う装置のリストを示してください。
- 保守点検の年間記録を示してください。　保守点検は予防的ですか？

 ## 監査のポイント

　GMPでの設備機器の保守の要求は，故障等の不都合が起こらないように予防的に保守することである。事故・故障が起きてからでは，製品の品質・安全性へリスクが発生する。いかに事故が起きないようにするか，可能性を最小限にするための保守計画，間隔の設定が重要となる。監査ではその対策を確認する。

リスク・観察事項例

- 予防的保守計画がない，年間の保守計画がない場合はコンプライアンス・品質低下のリスク・観察事項である。
- 保守の間隔に関して科学的説明が必要である。単純に1年以上の間隔が設定され，設定根拠がない場合も品質低下のリスク・観察事項になる。

5.21 中間体・原薬の生産に使用する装置の清掃及び当該装置の次回製造での使用許可について，文書による手順を設定すること。清掃手順には，作業員が，再現性のある，かつ，有効な方法で各種の装置を清掃できるよう十分に詳細な内容が含まれていること。これらの手順には，次の事項が含まれること：

- 装置清掃に係る責任の割り当て；
- 清掃計画，及び，必要な場合には消毒計画；
- 装置の清掃方法（洗浄剤の希釈方法を含む）及び使用する用具，薬剤等の十分な説明；
- 必要な場合には，適切な清掃を保証するために行う装置各部品の分解及び組立に係る指図；

- 先行ロットの表示の除去又は抹消に関する指図；
- 使用までの間における清浄な装置の汚染防止のための指図；
- 実施可能な場合には，使用直前の清浄度に係る装置の検査；
- 必要な場合には，工程作業の完了から装置清掃までの間の許容最長時間の設定。

5.22 中間体・原薬の品質を公定規格又は他の設定規格を超えて変質させる物質の汚染又はキャリーオーバーを防止するため，装置及び器具類は清掃し，保管し，必要な場合には消毒又は殺菌すること。

監査の視点

照査する文書例：①洗浄SOP，②洗浄記録，③Clean holding timeの規格書・記録

質問例
- 洗浄の手順を示してください。個々の装置ごとに手順が制定されていますか？
- 洗浄バリデーション（ベリフィケーション）は行いましたか？
- 中間体・原薬，洗浄剤の残留許容基準はリスクベースで設定していますか？
- 清浄の有効期間は設定していますか？ その根拠を示してください。
- 有効期間を超過した際の対応を教えてください。

監査のポイント

　製造機器，分析機器の洗浄は，汚染防止，試験精度，不純物プロファイルに大きな影響を与える。同時に，品質への影響を高める・軽減する操作である。このため，洗浄方法，洗浄の確認方法は，バリデートせねばならない。洗浄バリデーションは監査の中で必ず確認される項目である。FDA，PIC/Sも洗浄に関してガイドラインを発表している。洗浄バリデーションは，定められた清浄方法が，製造後に残留している化学物質（生物由来も含む）を効果的に除去して，その残留量（次の生産物に混入する可能性がある）が，許容されるレベルであることを確認することである。

　次回生産される製品・中間体が多様である場合，許容される残留量は絶対量では決められない。常に残留許容基準は次回製造される対象物との組み合わせになる。一般的に残留基準として採用されている"10ppm"は，個人的見解であり，FDAは公式な基準として認めていないと公表している。このため各社には，残留許容基準は次回の生産物に混入することを前提にしたリスクに基づいて策定することが求められている。さらに，残留量を検出・分析する方法の科学的妥当性が必要となる。FDAは洗浄バリデーション

を定期的に実施することで，よりリスクを軽減するために，各生産単位での検証，洗浄ベリフィケーションの実施を求めている。監査ではこれらを確認する。

> **Check リスク・観察事項例**
>
> - 製造前の洗浄手順が文書化されていない，または製造後の洗浄手順が文書化されていない場合は，交叉汚染・品質低下の重大なリスク・観察事項になる。
> - 洗浄後，清浄状態を保つ手段を講じていない，洗浄有効期間が設定されていない，また，製造開始前に清浄状態を確認することを定めていなければ，交叉汚染・品質低下のリスク・観察事項になる。
> - 殺菌が必要な中間体・原薬であれば，殺菌工程がない場合は交叉汚染・品質低下の重大なリスク・観察事項になる。

5.23 ある装置を用いて，同じ中間体・原薬の連続するロットを継続生産又は期間生産（キャンペーン生産）する場合には，汚染物質（例えば，分解物，一定レベルの微生物）の生成及びキャリーオーバーを防止するため，当該装置を適切な間隔で清掃すること。

5.24 専用ではない装置については，交叉汚染を防止するため，異なる原薬等の製造の間に清掃すること。

5.25 残留物の判定基準並びに清掃手順及び洗浄剤の選択について規定し，その根拠を示すこと。

5.26 装置については，その内容及び清浄の程度について適切な方法で識別すること。

監査の視点

照査する文書例：①洗浄SOP，②使用洗浄剤のリスト，③Clean holding time基準書

[質問例]
- 単一製造，キャンペーン製造時の洗浄頻度の基準を示してください。
- 時間もしくはキャリーオーバーの量で洗浄頻度を決定していますか？ その根拠を示してください。
- 中間体・原薬，洗浄剤の残留許容基準はリスクベースで設定していますか？

●洗浄後,装置には表示がなされますか?

監査のポイント

　専用設備においては洗浄バリデーションは必要ないとされてきたが,専用設備であっても残渣が経過時間とともに分解等され,不純物プロファイルに影響を及ぼすリスクがあるため,不純物・微生物の残量が許容できるレベルに留まる期間を判定し,その期間内に洗浄することが要求される。専用設備における連続生産時の洗浄間隔の妥当性と,品質に及ぼす影響の評価がベリフィケーションとして求められる。複数品目製造の反応容器では,反応ごとに切り替え時の洗浄が必須である。中間体・原薬・製品の安全性評価と次生産品目への混入時の安全リスク評価を行い,残留許容基準を決定せねばならない。

リスク・観察事項例

- 専用設備では洗浄バリデーションは求められていないが,専用設備で製造される中間体・原薬・製品の残存物が分解等して製造時に混入し,不純物プロファイルに影響を及ぼさないように洗浄間隔を定めていない場合は,交叉汚染・品質低下のリスク・観察事項である。
- 複数品目製造の設備で,科学的根拠に基づく適切な残留基準が制定されていない場合は交叉汚染・品質低下の重大なリスク・観察事項になる。
- 洗浄もしくは利用可能な状況等の表示が適切でない場合は混同・交叉汚染のリスク・観察事項となる。

5.3 校正

5.30 中間体・原薬の品質を保証するために重要な制御,秤量,測定,モニタリング及び試験の各装置については,文書による手順及び計画に従って校正を行うこと。

監査の視点

照査する文書例：①校正SOP，②機器・装置のリスト，③年間校正計画，④年間校正実施記録，⑤校正不適合の対応手順（ラベル，照査手順）

質問例
- 校正を行う機器・装置のリストを示してください。
- 品質へのリスクに従って機器・装置のリストを制定しましたか？
- 校正の頻度，手順は文書化されていますか？
- 校正の計画と実施記録を示してください。校正の逸脱は発生していますか？

監査のポイント

　校正は，製造に使用する装置・分析機器が表示する測定値が，真値を正確に表しているかを定期的に照査することである。定期的に行う理由は，機器のもつ誤差が，使用している期間に積算して許容される範囲を外れ，測定値が真値を表示しなくなる可能性を事前に防ぐためである。実施の頻度は年1回が多いが，単純な時間の経過ではなく，機器のもつ誤差の大きさに基づいて実施回数を決めねばならない。このことが校正のSOPに明確化されていることを確認する。また，費用の関係で自社で校正を行う場合があるが，校正担当者の能力が不十分であるときは，校正作業自体が誤差を助長する可能性がある。これは，自社に留まらず外部に校正を依頼する場合にもみられる。

　校正の確認は，品質部門が最終確認・承認する権限をもっているので，その承認行為がSOPに定義されていなければならない。監査ではこれらを確認する。

リスク・観察事項例

- 校正に関するSOPに，校正の頻度，実施手順が明確に定義されていない場合，校正の年次計画書がない，あったとしても計画通り校正が実施されていない場合は，品質・工程管理上のリスク・観察事項である。

5.31 装置の校正にあたっては，証明された標準器とのトレーサビリティが確保できる標準器が存在する場合には，これを用いて実施すること。

5.32 上述の校正の記録は保管すること。

5.33 重要な装置については,校正に係る現状を認識し,証明できる状態にしておくこと。

5.34 校正基準に適合しない計測器は使用しないこと。

5.35 重要な計測器について承認された校正の標準値から逸脱した場合には,これらの逸脱が前回の校正以降において当該計測器を用いて生産した中間体・原薬の品質に影響を与えたか否かを判定するために,調査を行うこと。

監査の視点

照査する文書例:①標準器の公的証明書,②校正計画と実施記録,③校正有効書,④ベンダーの承認記録

質問例
- 校正を行う機器・装置のリストを示してください。
- 校正は自家校正ですか? 外部ベンダーが行いますか?
- 自家校正に使用する標準器とその証明書を示してください。
- 校正記録を示してください。
- 校正が不適合の場合の管理手段を示してください。
- 校正が不適合になった機器・装置で製造・検査を行った中間体・原薬・製品のリスク調査を行いますか? 行わない場合は,そのリスクをどのように取り扱うか示してください。
- 校正の不適合が,ベンダー責任であった場合の管理法を示してください。
- 校正を行うベンダーの管理,評価手段を示してください。

監査のポイント

　製造所には,GMPの品質システムに必要な測定器をリスクベースで特定することが要求されている。この特定された測定器は,定期的にその精度を確認することが要求される。それが校正となる。このため,まずは,校正対象の測定器のリストが照査の対象になると同時に,選定した背景,リスクを確認することになる。この対象測定器は,定期的に校正して,その有効性を明示している。その明示方法は各種あるが,基本的には校正実施日と,次回の校正日が記述してある。このラベルは,プラント・QCラボツアーの際に観察する。校正は公的な標準器を用いて行うため,使用した標準器の記録が要求される。外部業者に委託して校正を行う場合,使用した標準器の記録は校正実施記録に記載しなければならない。この校正実施記録は,品質部門の照査と承認が必要である。化学天秤のように標準器を用いて日常校正する機器があるため,この標準器の公的証明書を確認する。

校正が不適合になった場合，前回の校正日から不適合になった期間は校正精度に疑義が生じるので，その不適合な測定器を用いて製造・品質検査した中間体・原薬・製品は照査・検証が必要になる。このような事象に対しての対策を保持しているかが確認の対象となる。校正不適合になった測定器は，再度校正を行い，信頼性を確保する。この間，対象機器の使用は禁止となる。このような手順は明確に文書化されている必要がある。監査ではこれらを確認する。

リスク・観察事項例

- 対象測定器がリスクベースで設定されておらず，校正計画がない場合は品質保証が行われていないリスク・観察事項である。
- 校正記録が品質部門の照査・承認を受けていない場合は品質保証が行われていないリスク・観察事項になる。
- 校正実施記録・報告書に使用した標準器の公的証明書がない場合は，品質・工程管理上のリスク・観察事項になる。
- 校正が不適合になった場合，不適合になった測定器を用いて製造・品質検査された中間体・原薬・製品の影響調査を行っていない，またその記録やSOPがない場合は，不適合品が出荷される可能性のある重大なリスク・観察事項になる。
- 測定器に校正の有効性の表示がない，有効性が容易に判断できない場合は混同・品質・工程管理上のリスク・観察事項になる。

5.4 コンピュータ化システム

5.40 GMPに関連するコンピュータ化システムについては，バリデーションを実施すること。なお，バリデーションの程度及び適用範囲は，コンピュータ化されたアプリケーションの多様性，複雑性及び重要性によるものである。

5.41 コンピュータのハードウエア及びソフトウエアについては，適切な据付時適格性評価及び運転時適格性評価により，課せられた業務の実行に適合していることを実証すること。

5.42 既に適格性が確認されている市販のソフトウエアについては，同じレベルの検査は必要でない。なお，既存のシステムについて，据付時にバリデーションが実施されていない場合には，適切な文書化された記録が入手できるならば，回顧的バリデーションにより検証する場合がある。

5.43 コンピュータ化システムについては,データに対する承認されていないアクセス又は変更を防止するために十分な管理を行うこと。また,データの脱落(例えば,システムの切断及びデータの不捕捉)を防止するための管理を行うこと。なお,データの変更については,すべてのデータ変更,変更前のデータ,変更者,変更時期を記録すること。

5.44 コンピュータ化システムの運転及び保守については,文書化した手順が用意されていること。

5.45 重要なデータを手動で入力した場合は,さらに入力の正確性の確認を行うこと。これは別の作業者又はシステム自体により行われる場合がある。

監査の視点

照査する文書例:①セキュリティ方針(改ざん防止),②コンピュータ化した機器の一覧表(ソフトウェア情報を含む),③コンピュータ化システム導入時のURS,DQ,IQ,OQ計画書と実施報告書(もしくは回顧的バリデーション報告書),④定期的CSV計画書,⑤CSVマスター計画書,⑥個々の機器でのCSV計画書,報告書,⑦システム・ハードの変更管理記録,⑧コンピュータ化システムの運転記録,保守・点検記録,⑨データの検証SOP

[質問例]
- コンピュータ化システムの管理台帳を示してください。
- システムベンダーの管理承認の手段を示してください。
- ベンダー管理のログブック・リストを示してください。 承認は誰が行いましたか?
- 入力したデータの信頼性・信憑性はどのように検証するか示してください。
- 手動で入力したデータはどのように検証しますか?
- システムが保持しているデータの信頼性・信憑性はどのように検証・保証しますか?
- コンピュータ化システムに入力・転送されたデータが,欠損,脱落がないことを検証していますか? その検証結果を示してください。
- 不正防止の手段を示してください。

監査のポイント

　コンピュータ化した製造機器・システム・測定機器は,使用にあたりその目的を適切に設け,必要な仕様を事前に決める必要がある。このため,製造所・製造ラインのコンピュータ化のマスタープランが必要である。まずはこのマスタープランがあることを確かめ,製造・品質検査に及ぼすリスクと利益の評価に基づいて立案されているかを確認する。全体のバランス・能力等を考慮して適切なコンピュータ化が求められるのであり,

保守点検が困難な最新鋭のコンピュータ化システムを導入することで，かえって維持リスクが増大したり，適切に稼動しないという事態になれば本末転倒である。また，コンピュータ化することでデータの検証が疎かになり，逸脱を放置することもあってはならない。製造所の規模，目的に合ったコンピュータ化システムであるかを確認する。

　コンピュータ化システムでは，データの改ざん等の悪意的逸脱が起こる可能性をもっている。セキュリティの考え方，特にPCに接続することが可能な担当者を特定して個別のID，定期的に変更されるパスワードで守られているかを確認する。また，入力したデータとPCに表示されるデータの整合性をバリデートしているか，定期的に監査証跡（オーディットトレイル）を確認して，記録にない操作が行われていないか，データの改ざんが行われていないかの照査を品質部門が実施していることを確認する。できれば，ランダムに抽出・印刷された記録とPC上の記録とを比較確認すること。また，隠れフォルダ等にデータを保持していないかも確認する。この電子データと紙に記録した分析結果は，品質検査室でのデータの一貫性で確認してもよい。電子データ，コンピュータ化システムの管理者は，当該の部門ではなく，品質部門，IT部門の責任者が負わねばならないのが現在の流れである。当該の部門の監督職が任命されていないかを確認する。

Check リスク・観察事項例

- 使用しているコンピュータ化システムのリストがない，個別機器の保守バリデーション計画・実施報告書がない場合はGMPコンプライアンス上のリスク・観察事項になる。
- コンピュータ化システムのバリデーションを行うとき，負荷状態（もしくはチャレンジ）での動作確認を行っていない場合はリスク管理・品質保証上のリスク・観察事項になる。
- コンピュータのセキュリティ管理基準がない，個別のIDの付与，階層別権限の分化が行われていない等の場合は，データインテグリティ・品質保証上の重大なリスク・観察事項である。
- オーディットトレイルの機能が任意に"off"にできる，またオーディットトレイルが定期的・抜き打ちで照査されていない場合は，データインテグリティ・品質保証上の重大なリスク・観察事項である。
- データの照査で，データがPC上で変更されている，削除されているが記録がないような場合はデータインテグリティ・品質保証上の重大なリスク・観察事項である。
- PC・電子データの管理者が当該の製造・品質試験部門の者である場合は，データインテグリティ・品質保証上のリスク・観察事項である。

5.46 中間体・原薬の品質もしくは記録又は試験結果の信頼性に影響を与えるおそれのあるコンピュータ化システムに係る事故については,記録し,調査すること。

監査の視点

照査する文書例:①逸脱記録,②原因調査報告書,③CAPA計画書
質問例
- コンピュータ化システムの事故・逸脱のログブックを示してください。
- 逸脱管理に即して,原因調査・CAPAが行われていることを示してください。

監査のポイント

逸脱管理と同じく原因調査を行いCAPAが行われているか,データの改ざん,故意のデータ消去,記録に残していないデータの入力,転送が行われていないかを確認する。またインターネットに接続している場合,ウイルス感染等も対象にしているかを確認する。

リスク・観察事項例

- 逸脱処理が,電子データ特有の事項を含んでいない場合は適切に品質保証が行われていないリスク・観察事項である。
- 原因調査に関しては,ソフト・ハードの両面から行っていない場合は,データインテグリティ上のリスク・観察事項である。

5.47 コンピュータ化システムに対する変更は,変更手順に従って行い,また,正式に承認し,文書化し,検査すること。システムのハードウエア,ソフトウエア及びその他すべての重要な構成について行った修正及び拡張を含む変更に係る記録を保管すること。これらの記録は最終システムが検証された状態に保守されていることを実証するものであること。

5.48 システムの破損又は故障が記録の永久的な消失を招く場合には,バックアップシステムを準備すること。また,データの保護を保証する対策を,すべてのコンピュータ化システムについて設定すること。

5.49 データはコンピュータシステムに加え,別方法により記録される場合がある。

監査の視点

照査する文書例：①変更管理SOPとログブック，②変更管理の例，③データのバックアップのSOP，④コンピュータ化システムの管理台帳

質問例
- 変更管理のログブックを示してください。
- コンピュータ化システムの管理台帳を示してください。
- この管理台帳には，変更の記録も記述してあることを示してください。
- 電子データのバックアップの手段を示してください。
- 定期的にバックアップを行っていますか？　その頻度は何日ですか？

 監査のポイント

　コンピュータ化システムの変更が変更管理SOPに含まれていることを確認する。特に，ソフトウェアのバージョンアップ，ハードの増強も変更管理に含まれるため，製造機器・品質検査機器が保守更新時に，ベンダーによって，ソフトウェアのバージョンアップが行われていることがあるが，往々にしてこの変更は，通常の変更管理に記録されないことがある。特に，バージョンアップで過去のファイルに影響が出る場合があるので，必ず変更管理SOPで管理せねばならない。新たなコンピュータに更新される際にも，既存のデータの保全，影響の有無等の確認を含め，変更管理がなされたかを確認する。

　いくら印刷したデータが正と主張しても，FDAは紙に印刷したデータの元である電子データの保全も要求するため，電子データが確実に保全されるように保管することは必須である。自然災害，火事等による損失に備え，複数の媒体や地政学的な要因を考慮した方法で電子データが保管されているかを確認する必要がある。さらにバックアップの頻度も重要であり，好ましくは毎月，容認されるのは3カ月を上限にせねばならないことを確認する。また，技術的進歩の結果，過去の電子記録の解析が不可能になることもあるので，記録媒体の陳腐化を防いでいるかを確認する。

　なお，データインテグリティ監査のポイントは，本書の5章で解説する。

リスク・観察事項例

- ソフトウェアのバージョンアップを含め，ベンダーが行うコンピュータ化システムの変更，改良が変更管理の対象になっていない場合は観察事項である。さらにこの変更に関して，影響度照査，変更前後の同等性確認をしていない場合は，信頼性保証・データインテグリティ上の重大なリスク・観察事項になる可能性がある。
- データ記録媒体の陳腐化の対策をしていない場合は，信頼性保証・データインテグリティ上の重大なリスク・観察事項になる可能性がある。
- バックアップを定期的に行っていない場合，行っていても頻度が少ない場合はデータインテグリティ上のリスク・観察事項である。

6

文書化及び記録

6.1 文書管理システム及び規格

6.10 中間体・原薬の生産に係る全ての文書については，文書化された手順に従い，作成し，照査し，承認し，配布すること。これらの文書は，書面又は電子媒体を用いる場合がある。

6.11 全ての文書の発行，改訂，廃止及び回収は，改訂に係る履歴を保存することにより管理すること。

 ## 監査の視点

照査する文書例：①文書管理SOP，②文書のリスト

質問例
- 文書の発行，改訂，承認，廃止・回収の手順を示してください。
- 文書の承認者は誰ですか？
- 文書の階層はありますか？　階層ごとに承認者は異なりますか？
- 承認日と発効日との間に猶予期間，教育訓練期間は設けてありますか？
- 発効・改訂発効した文書の配布・回収の手順を示してください。
- 回収した文書は確実に回収されたことを記録してありますか？
- 文書は電子版が正式ですか？　紙が正式ですか？
- 最新版もしくは有効な文書であることは，どのように確認できるかを示してください。
- 文書は従業員が容易に閲覧できますか？
- 印刷された文書の有効期間，回収・廃棄の手順を示してください。
- 文書は読みやすく，内容はガイドライン等に適合していますか？

監査のポイント

　SOPの策定方法が文書化されているかを確認する。文書は，作成者，確認者，承認者の3名体制で行われることが望ましい。文書の改訂・見直しが定期的に行われており，法令・ガイドラインが文書管理に反映されているかを確認する。文書の見直しは少なくとも3年に一度は行われること，見直しの記録がSOPの改訂記録に明記されていることを確認する。

リスク・観察事項例

- 見直しが定期的に行われていない，承認形式がSOPに定められていない，またはSOPのとおりに行われていない，作成者と承認者が同じであることは，GMPコンプライアンス・データインテグリティ上のリスク・観察事項である。
- SOPが読み手にわかりやすく，簡潔に書かれていないことは，オペレータが理解していない，SOPに従わないリスクがある。

6.12 全ての適切な文書を保存するために，手順を設定すること。該当する文書としては，例えば，開発経緯に係る記録，スケールアップに係る報告書，技術移転に係る報告書，プロセスバリデーションに係る報告書，教育訓練記録，製造記録，試験記録，出納記録等がある。これらの文書の保管期間は規定されていること。

6.13 全ての製造記録，試験記録，出納記録を，該当するロットの使用期限が過ぎた後少なくとも1年以上保存すること。リテスト日を設定している原薬については，これらの記録を，該当するロットの出荷が完全に終了した後少なくとも3年以上保存すること。

監査の視点

照査する文書例：①文書管理SOP，②文書の一覧表，③文書の廃棄記録，④文書保管場所

[質問例]
- この製造で文書とは何を指定しますか？　GMPに関係する文書・記録を含みますか？　開発部門の文書も含みますか？
- 文書の保管期間を示してください。
- 保管文書のリストを示してください。

監査のポイント

　文書は，必要に応じて照査できる状態になくてはならない。副作用等の安全性上の問題が発生した場合，製造記録等を速やかに照査できるように文書は保管されている必要がある。製造された原薬・製品が使用される可能性のある期間，すべての製造にかかわる文書は，事故の発生時，照査の対象となるので実態を確認する。

リスク・観察事項例

- 製造記録を含めた文書の保管記録がない場合，保管期間が定められていない場合はGMPコンプライアンス・品質保証上のリスク・観察事項になる。
- 保管期間が，使用期間に1年を加えてない場合は品質保証上のリスク・観察事項になる。また，保管場所が火災・水害等の自然災害，盗難・紛失への対策が講じられていない場合は，データインテグリティのリスク・観察事項となる。

6.14 記録事項を記入する場合には，操作実施直後に，定められた欄に，消去できない方法で記入し，記入者名を明記すること。記入事項の修正の場合は，日付を入れ，署名し，また，修正前の記載事項も読めるようにしておくこと。

監査の視点

照査する文書例：①文書記録のSOP，②記録媒体の指示書
質問例
- 文書の訂正，追記の手段を示してください。
- 訂正，追記の手段は文書化されていますか？

監査のポイント

　文書管理の基本は，操作の実際をタイムリーに記録することである。また，第3者が読んでも，判読・理解できることも重要である。誤記修正は，その経過が記録され，その誤謬が容易に判断されることが基本である。記録者，記録日時は，遅延なく正確に記録され，また記述の様式は統一されていなければならないので，文書に統一感があることも確認する。

> **Check ✓ リスク・観察事項例**
>
> - 記録が操作直後に行われず，まとめて行われていることが推測される場合は，GMPコンプライアンス・品質保証上のリスク・観察事項である。
> - 誤記の訂正が適切でなく，その書式が統一されていない場合は，文書管理のSOPに従っていない可能性が懸念され，リスク・観察事項になる。
> - 誤謬が多い文書が散見され，改善の傾向が認められない場合はコンプライアンス上のリスク・観察事項である。

> 6.15 記録又はそのコピーは，その保管期間中には，記載された事項が実施された施設において容易に取りだせること。なお，当該施設以外の保存場所から電子的又はその他の手段によってすぐに当該施設に取り寄せることができる場合には，これによることも差し支えない。
>
> 6.16 規格，指図，手順及び記録については，原本として保管する場合又は原本コピー（例えば，フォトコピー，マイクロフィルム，マイクロフィッシュその他原本の記録の正確な複写物）を保存する場合がある。マイクロフィルムあるいは電子記録のような縮小技術を使用する場合，必要な情報の取り出し及びハードコピーが容易にできること。

監査の視点

照査する文書例：①文書管理SOP，②保管記録・廃棄SOP

質問例
- 文書・記録の保管手順を示してください。
- 文書・記録はどこに保管されていますか？
- すぐに入手可能な状態になっていますか？
- 文書は原本と副本（複写）を保管していますか？
- 副本（複写）は電子的ですか？ 機械的な複写ですか？

監査のポイント

　記録は複数の原資料・記録があってはならないので，必ず原資料を特定して保存することが求められ，その他の複写は"コピー"であることの明示を確認する。GMPのシス

テムでは膨大な文書が作成され，保管される。これらの文書をいつでも，適時，正確に，取り出し照査できることが必要である。

　文書管理では，旧式の媒体から情報を移管すること，バックアップを取ること，年次更新なども必須である。データの記録媒体の更新も手順に含められていることを確認する。地震，火災等の自然災害に対する防御も必要であり，必ずSOPに含まねばならない。監査ではこれらの実態を確認する。

リスク・観察事項例

- 陳腐化した記録媒体（HD,MO等）を，保存方法の更新計画・対策なく使用している場合はデータインテグリティ上のリスク・観察事項である。
- 科学的に妥当な間隔で，定期的にバックアップを行っていない場合は品質保証が適切に行われていないリスク・観察事項である。

6.17 原料，中間体（必要な場合），原薬，表示材料及び包装材料に係る規格を設定し，文書化すること。さらに，助剤，ガスケット，中間体・原薬の製造に使用されるその他の資材で品質に重大な影響を及ぼすおそれがあり，規格が必要である場合には，当該資材について規格を設定すること。また，工程内管理のため，その判定基準を設定し，文書化すること。

監査の視点

照査する文書例：①製品標準書，②原材料の規格書

質問例
- 原料，中間体，原薬，製品，包装・表示の標準書（規格・仕様書）を示してください。これらの規格・仕様はどのように制定されたかを示してください。
- 開発記録に規格制定の経緯・根拠は示してありますか？
- 品質に影響を及ぼす可能性のある製造過程の材料の規格・仕様は文書化してありますか？
- リスクは分析され，その結果は規格・仕様に反映されていますか？

監査のポイント

　原料，中間体，原薬，表示材料および包装材料の規格は，バリデートされた後制定せねばならない。また，それらの選択，規格の制定の経緯は，文書に残さねばならない。年次照査で品質のトレンド分析を行い，規格（管理規格）の妥当性と変更の必要性を検討することが強く求められている。同時に，直接中間体，原薬／製品に含まれないが，製造上，また保管上品質に影響を及ぼす可能性のある物質（製造機器，管路，ガスケット・パッキン，輸送・保管容器等）に関しても，材質・品質規格を定めることが求められている。特に直接接触する反応機の内表面の材質，移送・保管容器の内面，装置・管路の密閉性を保つガスケット・パッキン等は，溶出もしくは吸収される，材質が反応する等の危険性・影響が懸念されるため，影響の少ない材質・構造が研究開発段階で検討される。その検討経緯は文書にまとめられ，PQ，OQにて確認されねばならない。

　既存（旧来）の原薬・製品では，これらの検討がなされていないことがあるが，年次照査にて行うべき項目である。監査では，これらの実態を確認する。

Check リスク・観察事項例

- 規格・合格基準が制定されていなければ，品質保証が適切に行われていない・品質の安定が保証されない重大なリスク・観察事項である。
- 規格・合格基準が制定された経緯が文書化されていない，その根拠資料がない，変更の影響調査が行われていなければ品質上のリスク・観察事項になる。

6.18 文書に電子署名を用いる場合には，当該電子署名が認証され，保証されていること

監査の視点

照査する文書例：①電子署名管理SOP，②IDの付与基準，③パスワードの更新基準，④コンピュータのセキュリティ基準書

[質問例]
- 電子署名のソフトウェアとして，どのようなものを使用していますか？
- IDの付与の担当者リストはありますか？
- IDを付与・認証する責任者は誰ですか？　電子署名の階層管理を示してください。

監査のポイント

　電子署名の安全性と運用が，FDA，PIC/Sのガイドラインに即していることを前提に，改ざん，なりすまし，外部からの侵入を防止できているかを確認する。また，100％安全なシステムは存在していないので，すべての署名の監査証跡（オーディットトレイル）が残されており，改ざん，なりすまし等の犯罪行為を容易に発見できる，もしくは定期的に照査して，そのような犯罪行為がないことを確かめているかを確認する。

　安全性を確保・強化する目的でIDの付与，階層別ID，パスワードの定期的な更新がなされているか，その頻度は妥当かを確認する。

リスク・観察事項例

- ID，パスワード，階層管理が不十分で，犯罪行為が予防できていない場合はコンプライアンス上のリスク・観察事項である。
- パスワードの定期的な更新が，十分な頻度で行われていない場合もコンプライアンス上のリスク・観察事項である。

6.2 装置の清掃及び使用記録

6.20 主要な装置の使用，清掃，消毒・滅菌及び保守に係る記録には，日付，時間（必要な場合），製品名，当該装置で製造した各ロットの番号及び清掃・保守点検を行った担当者名を記載する。

 ## 監査の視点

照査する文書例：①衛生管理基準，清掃基準，②機器・設備の保守・洗浄・殺菌SOP，③始業前の点検SOPとその実施記録，④製造後の洗浄記録

質問例
- 機器の使用記録を示してください。　記入者と確認者を示してください。
- 清掃，消毒・滅菌は製造ごとに行いますか？
- 清掃，消毒・滅菌記録を示してください。
- 保守記録を示すことはできますか？
- 年間の保守記録・計画を示してください。

監査のポイント

　製造機器を使用するときには，その機器が洗浄され，また必要に応じて殺菌されていることが作業を行う人員に対して明らかになるように記録されねばならない。ややもすると記録をとることが目的となってしまうこともあるが，洗浄・殺菌記録は作業開始が可能か否かの指標であるため，正確な記録が必要である。また，汚染防止の観点から，前に製造した品目を記述することが非常に重要である。常に記録することの目的を認識しているか，リスクの軽減のための記録であることの認識があるかを確認する。

> **Check**
> ### ✓ リスク・観察事項例
> - 洗浄・殺菌記録が正確に記述されていない場合は，交叉汚染・品質低下の重大なリスク・観察事項となる。

6.21 もし製造装置が1種類の中間体・原薬を製造する専用装置であり，かつ，当該中間体・原薬のロット番号が追跡可能な連続した番号である場合，装置に係る個々の記録を作成する必要はない。なお，専用装置を用いる場合，清掃，保守及び使用に係る記録は，ロット記録の一部とする場合又はロット記録とは別に保存する場合がある。

監査の視点

照査する文書例：①製造記録

質問例
- 製造設備は専用ですか？　兼用ですか？
- 清掃・保守記録を示してください。

監査のポイント

　専用設備の場合は，洗浄バリデーションは特に要求されてはいない。しかし，不純物・分解物が次に製造される中間体・原薬に混入する事態を防がねばならないので，中間体・原薬の容器の表面安定性の検討が必要となる。そのためには，安定性試験報告と保守記録が必要となるが，個別に機器の管理ログを設けないことも認められるので，実態を確認する。

リスク・観察事項例

- 専用施設であることを理由に，保守・洗浄記録がない場合は観察事項となる。
- 洗浄間隔を定める際，残留物の安定性，不純物の増加を許容内に管理できることを検証した記録がない場合は交叉汚染・品質低下のリスク・観察事項になる。

6.3 原料・中間体・原薬用の表示材料・包装材料の記録

6.30 記録は次の内容により保存・管理すること。

- 原料・中間体・原薬用表示材料・包装材料のロットごと，かつ，入荷ごとの製造業者の名前，識別及び数量；供給者の名称；(もし既知であれば) 供給者の管理番号，又はその他の識別番号；受入時の管理番号；受入日。
- 実施された試験又は検査の結果及びその判定。
- 使用・出納の記録。
- 原薬用表示材料・包装材料が規定された規格に適合していることを試験し，照査した文書。
- 不合格と判定した原料・中間体・原薬用表示材料・包装材料についての最終措置。

6.31 承認されたマスターラベルは，発行ラベルとの比較のために保存・管理すること。

監査の視点

照査する文書例：①ラベルの発行SOPとログブック，②サンプリングSOPとログブック，③入庫した原料のログ（もしくはPC上の管理表），④原材料の出荷判定SOP，⑤現場での区分管理の詳細

質問例

- 原材料のマスターラベルは，誰が管理していますか？
- 原材料の試験中，適合，不適合のラベルはどのように発行し，マスターとの同等性を担保しますか？ ラベルの枚数は管理していますか？
- 印刷したラベルは保管してありますか？
- 区分保管は物理的に担保されていますか（十分な間隔，施錠管理）？
- 入庫した原材料は台帳記録していますか？ 台帳を見せてください。

- 原材料の出荷判定の手順を示してください。　誰が判定者ですか？
- 適合判定の手順と記録紙を見せてください。

監査のポイント

　監査では，原材料が適切に適合，不適合と識別され，誤って不適合の原材料が製造現場に出荷されないように手順・防護手段が取られているかを確認する。試験中の原材料が適切かつSOPに従って適合判定され，その証拠となるラベルに必要な項目が記述されているか確認する。また，使用期限を過ぎた原材料は不適合のラベルを添付して不適合品置き場に，リテスト日を超過した原材料は試験中のラベルを添付して試験中品置き場に移送されているかを確認する。使用期限・リテスト日を超過した原材料や台帳管理されていないもの，ラベルがない原材料がないかを確認する。不適合品は，誤って出荷されないよう赤色等一目でわかるラベルで隔離保管を行い，混同されないように処分されているかを確認する。

リスク・観察事項例

- 使用期限・リテスト日を超過した原材料，台帳管理されていない，ラベルがない原材料があれば，混同・交叉汚染の重大なリスク・観察事項になる。
- マスターのラベルが保管されていない，印刷したラベルの見本が保管されていない場合は，コンプライアンス・品質保証上のリスク・観察事項になる。
- 不適合品置き場が，誤って使用されないように施錠管理等が行われていない場合は品質保証が適切に行われていないリスク・観察事項である。
- 出荷判定がSOPに従っていない，もしくは適合の承認が品質部門以外の場合は，コンプライアンス・品質保証上の重大なリスク・観察事項である。

6.4 製造指図書原本

6.40 ロット間の同一性を保証するため，各原薬・中間体に関して製造指図書原本を作成すること。なお，当該製造指図書原本には，1名が日付及び署名をするとともに，品質部門の者が独自に内容を確認し，その日付及び署名をすること。

6.41 製造指図書原本には次の内容を含めること。

- 製造する原薬・中間体の名称。文書管理番号が定められている場合には，当該文書管理番号。
- 特別な品質特性を明確にするため，特定された名前又はコードで指定された原材料又は中間体に関する全てのリスト。
- 当該の工程で用いられる各原材料又は中間体の量又は比率に関する正確な記述（計量単位を含む）。量が定められていない場合，各ロットサイズ又は製造時に用いる比率の計算を含むこと。量のばらつきの範囲について正当化されている場合には，これを含むこと。
- 製造場所及び主要な製造装置
- 製造指図書原本の詳細としては，次の事項を含む：
- 作業順序。
- 使用されるプロセス・パラメーターの幅。
- 必要な場合，検体採取指図及び工程内試験の判定基準。
- 必要な場合，個々の工程又は工程全体の完了時間の制限。
- 工程の適切な段階又は時間での期待収量の幅。
- 必要な場合には，特別な注意事項又は予防注意若しくはそれらの参照事項。
- 使用の適合を保証するための中間体・原薬を保管するための指図。これには，表示材料・包装材料，必要な場合には，期限を定めた特別な保管条件が含まれる。

監査の視点

照査する文書例：①製造記録（マスター）

質問例
- 誰が承認しますか？
- 変更履歴はありますか？
- 発行記録（複写）はありますか？
- 工程管理，管理値の幅はどのようにして決定しますか？
- 重要工程は特定されていますか？
- 管理幅が品質にどのように影響するか検証してありますか？

監査のポイント

製造記録（マスター）は，各製品の製造に必要な情報（原材料名，製造装置名，製造

条件等）が，詳細に記述されてある文書であり，品質部門が承認して保管せねばならない。この製造記録（マスター）の管理責任者は品質部門でなければならないが，複写の発行は委嘱することも可能である。ただし，その手順は文書化していなければならない。製造記録書の発行記録を確認して，適切に管理発行されていることを確認する。

このため製造記録（マスター）は，製造記録と照合して同一であることを確認することが必要な場合がある。できれば，管理幅の設定の根拠も確認する。重要工程，そのパラメータが明確に指示されているかを確認する。特にその管理幅が品質にどのように影響を及ぼすかを照査し，製造記録に記述したことを確認する。

> **Check ✓ リスク・観察事項例**
>
> - 製造記録（マスター）の記録・保管を品質部門が行っていない場合は，コンプライアンス上の重大なリスク・観察事項になる。複写記録の発行を品質部門以外が行っている場合は，その手続きが文書化されていなければならないが，行っていない場合は品質保証が適切に行われていないリスク・観察事項になる。
> - 製造記録の複写の発行を管理していない場合はコンプライアンス上のリスク・観察事項である。

6.5 ロット製造指図・記録

6.50 各中間体・原薬のためのロット製造指図・記録を作成すること。指図には，ロットごとの製造及び管理に関する全ての情報があること。ロット製造指図・記録はそれが正しいものであり，かつ，適切な製造指図書原本に則り明確に再製されたものであることを保証するため，それが発行される前に確認すること。もしロット製造指図・記録が別の原本から複写されたものである場合には，それらの資料には現在使用している製造指図書原本を参照したことの記載があること。

6.51 上述の指図には，発行の際に，日付，署名，固有のロット番号又は識別番号を付すこと。連続製造では，最終番号が付されるまでの間，日付及び時間とともに製造コード番号が固有識別として役に立つ。

監査の視点

照査する文書例：①製造記録（記録済み），②発行記録（ログブック）

質問例
- この製造記録書がマスターの正確な複写であることがどのようにしてわかりますか？
- 最新版であることはどのように確認すればよいですか？
- 製造（ロット・バッチ）番号は，どのように与えますか？

監査のポイント

　6.40，6.41にてマスターの製造記録書の作成を確認したが，6.5では，マスターを複写して製造部門に発行することが規定されている。この場合，複写を製造部門に委嘱していることがあるが，原本から忠実に複写されているか，その記録が保管されているかを確認する。発行の際にロット・バッチ番号が付記されるので，番号の付記方法とログブックを確認する。

> **Check**
> **リスク・観察事項例**
>
> - 最新版の製造記録（マスター）から製造記録が複写されていない場合は，重大な観察事項になる。
> - ロット番号が付記されずに複写製造記録が発行される場合は，改ざん等の可能性があるリスク・観察事項である。
> - 複写の製造記録発行のログブック，付記したロット・バッチ番号の記録ログブックがない，製造記録の発行日に関して整合性に誤謬があれば，改ざん等の可能性があるリスク・観察事項になる。

6.52 ロット製造指図・記録のうち，主要な工程に係る記録には次のような事項を含むこと：

- 日付，及び必要な場合には，時間。
- 使用された主要な装置（例えば反応釜，乾燥機，粉砕機等）。
- 質量，測定値，そして製造工程において使用された原材料，中間体，あるいは再加工品のロット番号等からなるロットごとの固有識別。

- 重要な工程パラメータの結果。
- 実施された検体採取についての記載。
- 作業において各重要工程の作業者及び直接に監督又はチェックした担当者の署名。
- 工程内試験及び試験室試験の結果。
- 特定の段階又は時点における実収量。
- 中間体・原薬の包装及びラベルに関する記載。
- もし市販品を使用するのであれば、その中間体・原薬の代表ラベル。
- 確認された逸脱及びその評価。必要な場合には、実施された調査。また、当該結果が別に保管されている場合は、当該調査結果の参照先。
- 出荷判定の結果。

監査の視点

照査する文書例：①製造済みの製造記録
質問例
- 逸脱、異常値の記録はありますか？
- 当該製品は適合になりましたか？　適合判定した手順と記録を示してください。
- この記録の確認者は誰ですか？　承認者は誰ですか？
- すべての項目は、照査して、その後あなたが確認済みを記入したのですか？

監査のポイント

　できれば、原料の出荷記録から出荷判定までのすべての記録を順次確認することが望ましい。特に重要工程パラメータの確認、中間体の品質試験とその適合判定の記録、原料の出荷記録・OOSの記録の順に確認すると、比較的短時間で確認できる。その際、誤記訂正箇所は、その訂正がSOPに沿っているか、訂正の日付が適合判定日と齟齬がないか確認する。工程・時間の記録が、適時に記録されているかを確認する。すべての記録は管理幅に含まれているか、逸脱した記録がないか、特に手書きであれば、新品のような記録ではないかを確認する。逸脱の処理完了日と出荷判定日が異常に近接していないかを確認する。

リスク・観察事項例

- すべての記録が再計算・確認されていることを宣誓・署名したにもかかわらず，記入ミス（誤記，空欄）がある場合，品質保証が適切に行われていないリスク・観察事項である。
- 誤記訂正がSOPに従っていない，不自然な追記・訂正があれば，品質保証上のリスク・観察事項になる。

6.53 重大な逸脱又は中間体・原薬が規格に不適合の場合の調査手順を作成し，従うこと。この調査はあるロットの不適合又は逸脱が関係している可能性のある他のロットまで広げること。

監査の視点

照査する文書例：①不適合中間体・原薬のログブック，②逸脱のログブック，③逸脱管理SOP，④CAPAのSOP，⑤原因調査のSOP

質問例
- 最近の逸脱のログブック・不適合リストを示してください。
- 生産ロット数とこの製造所の従業員数を教えてください。
- 逸脱はその内容でクラス分類をしていますか？　分類の基準は？
- 逸脱の初期には何をしなければなりませんか？
- 製造途中であれば停止しますか？　隔離しますか？
- "停止・隔離"は当該のロット・バッチに限りますか？　広げますか？　拡大するならばどの範囲ですか？
- 調査も同じように拡大しますか？
- 逸脱処理のフローを示してください。
- 逸脱処理の締め切り日時は決めてありますか？
- CAPAの計画・実行の手順は？
- 同様の不適合・逸脱が発生した場合，逸脱処理は再調査されますか？
- 根本原因が追求されてからCAPAが開始されますか？
- CAPAの有効性はどのように検証されますか？

監査のポイント

　監査では，優先的に逸脱を確認する。逸脱・不適合は，統計的に一定の確率で発生することを監査員は念頭において確認する。たとえば，製造所の年間の製造ロット・バッチ数，従業員数から逸脱の発生数は予測される。極端に逸脱の報告数が少ない場合は，逸脱を適切に処理していないと推測する必要がある。また，予想以上に逸脱が多い場合は，QMS/CAPAが十分に機能していないと推測して監査を進めることが必要となる。

　逸脱管理で重要なのは，SOPに記述された逸脱管理に品質部門が積極的にかかわっているかという点である。ログブックより選択して，数点の逸脱報告書を詳細に確認するが，特に注目する点は，原因調査，応急の是正措置と根本原因調査が適切に行われているかである。特に根本原因が，ヒューマンエラーと単純に記述してあり，CAPA計画に再教育と記述されているような逸脱報告に注目する。逸脱管理の本来の目的は，そのときの是正から根本原因を解決・除去しての再発防止である。ヒューマンエラーという一辺通りの根本原因調査はFDAにも受け入れられない。ヒューマンエラーを誘導した背後にある原因調査をしているか，そのような調査を行う手順があるかを監査では確認する。また，CAPAを計画実施するが，再度類似の逸脱が発生すれば，根本原因調査，CAPAは有効でなかったことになるので，逸脱管理システムが十分機能していないことになる。このような観点から監査を進める。

Check リスク・観察事項例

- 逸脱報告を行ってない逸脱事象が発見されれば，もしくは逸脱の二重管理を行っている場合は，コンプライアンス・品質保証上の重大なリスク・観察事項である。
- 根本原因調査が形式的に行われ，再発が起きている場合，CAPAの有効性が確認されていない場合は，品質保証が適切に行われていないリスク・観察事項になる。
- 逸脱処理が期限内に終了していない，形だけの終了であることが観察された場合は，重大な観察事項である。特に，逸脱処理が終了していない状況で出荷承認された場合は，重篤な観察事項と判断され，監査は中断されることもある。

6.6 試験室管理記録

6.60 試験室管理記録は，設定した規格及び基準に適合していることを確認するために実施される各種の検査や試験を含む全試験の完全なデータを含むこと。求められる内容は次のとおりである：

- 試験用として入手した検体について，原材料等の名前又は製造元，ロット番号又はその他の識別コード番号，検体採取日，必要であれば試験用として検体を入手した日付及び量の記述。
- 使用した各試験方法に関するコメント又は参照事項。
- 試験方法に基づいて各試験に使用されたサンプルの量又は測定値の記述。標準品，試薬，標準溶液の調製及び試験に係るデータ又は参照事項。
- 各試験の全ての生データの完全な記録，分析機器から得られたグラフ，チャート及びスペクトル。なお，これらの記録については，被試験品とそのロットが明らかとなるよう適切に識別すること。
- 計量単位，変換因子，等価係数等を含む試験中において行われた全ての計算式の記録。
- 試験結果の判定及び判定基準との比較に関する陳述。
- 各試験を実施した各試験担当者の署名及び試験日。
- オリジナルの記録の正当性，完全性及び設定した規格に対する適合性について照査したことを示す別の担当者の署名及び日付。

監査の視点

照査する文書例：①試験ノート（スプレッドシート），②生データの検証の記録と承認記録

[質問例]
- 試験はどのような文書・SOPを参照して実施し，どのように記録していますか？
- 試験法，記録紙を見せてください。
- サンプル名，ロット番号，標準品のロット番号，試薬の名称・ロット番号，試験液の調製等はどこに記録してありますか？
- 生データからの計算式は，どこに記述してありますか？
- これらのデータの検証は誰が行いますか，その実施記録はどこにありますか？
- すべての承認は誰が行いますか？ 承認時，データをサンプリングで検証しますか？

監査のポイント

　品質試験室では，すべての実施試験の手順，使用する測定機器，試薬・標準品，調製液の情報が明示され，適時記録されていることが要求される。また，記録だけでなく，記述された記録や計算が正確であるかを第2者が検証して確認する必要がある。さらに品質試験室の責任者が承認する。責任者はデータに対しての最終責任をもつ。この手順が形式的，形骸化されていないかを確認する。特に承認者の責任の確認は必須である。

リスク・観察事項例

- 記録の欠損，記入ミス，計算式に未記入，調製液の未記入が観察されれば，QA機能が有効でなく，データインテグリティ上のリスク・観察事項である。
- 試験室の責任者が，試験記録の完全性を形式的に承認していると判断される場合は，データインテグリティ上のリスク・観察事項である。

6.61　下記の事項について，完全な記録が保存されていること。

- 設定した分析方法に対する変更。
- 試験室の機器，装置，ゲージ及び記録装置の定期的校正。
- 原薬について行われた全ての安定性試験。
- 規格外試験結果に関する原因調査。

 ## 監査の視点

照査する文書例：①QCラボでの変更管理のSOPとその記録，②試験機器類の校正計画，実施報告書，SOP，③使用期限（リテスト日）を制定するため実施した安定性試験の報告書と結果報告，④年次安定性試験の計画書と報告（中間結果），⑤OOS SOPとその記録

[質問例]
- 分析法の設定の根拠と変更の変遷は文書化されていますか？
- 試験室の校正計画と実施結果の一覧表はありますか？
- 安定性試験のサマリー，もしくはログブック，一覧表はありますか？

- OOS/OOTのログブックはありますか？
- これらの記録に漏れはないですか？ 品質部門は確認していますか？

 ## 監査のポイント

　GMPでは，研究室を含めてすべての活動の記録が残されていることが要求されている。当然ながら，記録の漏れ，文書の行方不明があってはならない。監査の際は抜き打ちでの書類の提出要求であるため，概して抜けが発見される。この場合，発見された抜けの状態を確認する（たまたまなのか，常態化しているか）。必要に応じて追加で資料提供を要求し，抜けの頻度を確認する。

リスク・観察事項例

- 記録が文書化されていない場合はデータインテグリティ上のリスク・観察事項である。
- 校正，安定性のデータの完全性が保証されていない，抜けがある場合，抜けの程度で観察事項である。

6.7 ロット製造指図・記録の照査

6.70 中間体・原薬について，ロットの使用又は出荷の前に，当該中間体・原薬が規格の基準を満たしていることを確認するため，当該ロットの包装及び表示を含む，製造指図・記録及び試験室管理記録の照査及び承認について，文書化した手順を作成し，それに従うこと。

 ## 監査の視点

照査する文書例：①出荷SOP・手順，②データの照査基準，③責任表
質問例
- 誰が出荷（次期工程への）判定をしますか？
- 出荷判定は，どの文書・記録を照査しますか？
- リストを示してください。

監査のポイント

　製造された中間体・原薬・製品は，製造記録・品質管理記録・包装・ラベルを，規格と照らし合わせる確認作業が出荷判定のために必要である。また，作業指示どおりに行われたか，決められた分析法に準拠しているかを確認する手順を定めておかねばならない。また，データの均一性を担保するためにも，照査する手順，チェックリストを品質保証部門が準備することが必要と監査員は考える。監査の際，この手順を確認すると同時に実際の照査の記録を確認する。品質部門が準備しているチェックリストが機能していることを確認する。

リスク・観察事項例

- 出荷の手順書が作成されていることが必須で，ない場合は操作が標準化されず変動が生じ，品質の低下を起こすという重大なリスク・観察事項である。

6.71 重要工程についてのロットの製造指図・記録及び試験室管理記録は，当該ロットの使用又は出荷の前に品質部門により照査し，承認されていること。なお，重要でない工程の製造指図・記録及び試験室管理記録については，品質部門により承認された手順に従い，資格のある製造部門の者又はそれ以外の部署の者により照査する場合がある。

6.72 すべての逸脱，原因調査及び規格外試験結果報告書については，ロットが出荷される前に，ロット記録の一部として照査すること。

監査の視点

照査する文書例：①データの照査基準，②出荷SOP・手順

質問例

- バッチの製造記録は誰が照査しますか？
- 品質部門はすべてを照査しますか？　重要工程のみを照査しますか？
- 品質部門は重要工程のみを照査するならば，他の部門（製造部門）が照査しますか？
- 照査する担当者は認定されていますか？　教育訓練記録を示してください。
- 照査する文書には，電子記録が含まれますか？　電子文書も，紙の文書も同等に照査しますか？

- 詳細な照査は，変更管理，逸脱管理，OOSを含みますか？
- 出荷前には，変更管理，逸脱管理，OOSがclosedしていることを確認することになっていますか？
- 実例を示してください。

 ## 監査のポイント

　GMPでは，製造記録・品質管理記録の照査の役割分担を認めている。基本的に重要工程の照査は品質部門が行うが，重要でない工程は認定された照査員が行ってもよいことになっている。実際の製造現場では，一次照査として，製造部門もしくは品質試験室が記録書の照査を行い，その後品質部門が重要工程を照査している。この現実の作業は認められるものである。この条項を参照して，監査で実際の作業を確認する。

　逸脱処理ならびにOOSの処理は重要な管理項目のため，品質部門が管理を行い，処理を終了していることが出荷判定の条件である。このため，出荷判定の時間軸と逸脱・OOSの処理の終了日は整合性を保たねばならない。この時間経過を監査員は確認する。

リスク・観察事項例

- 重要工程の照査を品質部門以外に委嘱している場合は，コンプライアンス・品質上の重大なリスク・観察事項である。
- 逸脱処理ならびにOOSの処理が完了しない状況で，出荷判定がなされた場合は，出荷された製品の品質にかかわる重大なリスク・観察事項である。
- 電子文書と紙の文書を同等に扱っていない場合は，データインテグリティに関する重大なリスクであり，観察事項となる。

6.73 自社の管理外に出荷される場合を除き，品質部門は中間体の使用に係る責任及び権限を製造部門に委譲することが出来る。

 ## 監査の視点

照査する文書例：①製造記録
[質問例]
- 中間体の使用の承認は品質部門ですか？　現場ですか？

- 権限委嘱文書を示すことができますか？

監査のポイント

　中間体の合否判定を誰が行っているかを確認する。認定された製造部門の担当者が行っていることを確認する。

リスク・観察事項例

- 認定されていない製造部門の担当者が行っている場合はコンプライアンス・品質保証上のリスク・観察事項になる。

7

原材料等の管理

7.1 一般的管理

7.10 原材料等の受領，確認，区分保管，保管，取扱い，検体採取，試験，合否手順に関する文書を作成すること。

 監査の視点

照査する文書例：①原材料受領のSOP，②ベンダー承認リスト，③倉庫の平面図（試験中，合格，不適合）を明確に示した平面図，④ラベル発行のSOP，⑤倉庫の換気図，⑥サンプルの採取基準，⑦サンプルの採取に関するSOP，⑧環境状態を測定するSOP，⑨試験の実施，判定に関するSOP（試験室管理の項で確認することも可能）

質問例
- 原材料等取扱いの手順を示してください（たとえば受領，確認，区分保管，保管，取扱い，検体採取，試験，合否手順）。
- 受入れの手順を示してください。
- 最初に確認する書類はどれですか？
- 承認されたベンダーリストは最新版が準備され，担当者が確認できる状態ですか？最新版のリストを示してください。
- IDのラベルは，誰が発行するのですか？
- 外観を検証しますか？ 外観に異常があればどのような手続きを取りますか？
- 試験中のラベルは誰が発行・添付しますか？
- 試験中の原材料はどこに保管しますか？ 場所を示してください。
- サンプリングの基準はどのように制定しましたか？ そのとき，原材料の均一性は検

証しましたか？ ロット内，容器内の均一性を検証しましたか？
- 採取サンプル数は原材料のもつリスクに基づいて制定しましたか？
- リスク分析の結果を示してください。
- サンプル済みを示すラベルはありますか？

監査のポイント

一連の原材料の受領，保管，判定，倉庫からの出荷判定の手順・基準が的確に定められているかを確認する。QMSでの基本として，まずGMP施設に入るときに正確に判定が行われ，不適合品が決して製造に供されないことを保証する仕組みがあるか，文書化されているかを確認する。特に手順・基準の厳格性が求められる。安易に判断が変更できる手順・SOPがあることは認められない。

リスク・観察事項例

- 手順・基準が定められ，ステップが明確に記述されることが求められているにもかかわらず，不適合品，無検査品を受入れる可能性のある手順がある，もしくは求められている手順・SOPがない場合は，不適合品が製造に使用される可能性のある重大なリスク・観察事項になる。

7.11 中間体・原薬の製造業者は，重要な原材料等の供給業者について評価する体制を有すること。

監査の視点

照査する文書例：①供給業者を認証・承認するSOP，②監査SOP，③品質契約のSOP，④監査報告書もしくは監査済み製造所リスト，⑤製造所と締結した品質契約・品質規格の一覧表，⑥原材料・ベンダーの年次照査，⑦監査員の教育訓練記録と認証

質問例

- ベンダーの評価（再評価）は，どのくらいの頻度で行いますか？
- ベンダー評価の項目を示してください。
- 評価時の合格基準は？
- 不適合になった場合はどのように処理するのですか？
- 不適合になったベンダーが過去に製造した原材料を使用した製品・原薬は，どのようにリスク評価しますか？

監査のポイント

　原材料等の供給業者は，品質部門が評価・承認しなくてはならない。供給業者のパフォーマンスは，製造の持続性を財政・信用状況・生産能力・監査法人の報告書，GMP監査報告から，品質のパフォーマンスは，原材料の品質の年次照査での均一性，品質クレームの有無，品質契約の締結済みの点から評価する。評価結果は文書にまとめ，品質部門が承認する。承認された供給業者リストは，購買部門，倉庫，受入管理部門に配布せねばならない。

　原材料等の供給業者のリストは企業秘密として公開しない監査先もあるが，SOPの確認と公開された承認リストの一部を確認する。

リスク・観察事項例

- 原材料等の供給業者の評価・認証システムがない，あるがその評価機能を十分に果たしていない場合は品質保証が適切に行われていないリスク・観察事項となる。このリスクとは，"実製造所の情報を得ていない，現地監査を行っていない，定期的な再評価を行っていない"ことである。

7.12 原材料等は，合意した規格に基づき，品質部門によって承認された供給業者から購入すること。

7.13 重要な原材料等の供給業者が当該原材料等を製造していない場合，中間体・原薬の製造業者は，当該原材料等の製造業者の名前及び住所を把握しておくこと。

監査の視点

照査する文書例：①承認された原材料の製造業者リスト

質問例
- マスターの承認済みベンダーを示してください。
- このマスターリストは，購買部門，ロジスティック部門が保持して，原材料の購入，入荷時に購入先を検証していますか？
- マスターの承認済みベンダーには，実製造所の情報が網羅されていますか？

監査のポイント

　医薬品の製造に使用する原材料に関して，製造会社，製造工場，製造工程，規格は文書にて定められ，品質部門の承認を得ることが要求されている。また，安定供給の観点から複数の供給業者から原材料を購入することが推奨される。なお，供給業者が商社・輸入商社である場合，その原材料を実際に製造している製造会社を特定して承認する必要がある。

　GMPの観点からは，製造会社が不明な原料の購入は厳に禁止される。また，同一製造会社でも，製造工場が異なれば同一原材料，承認された製造会社とは認められない。海外の会社では，コスト優先のために承認されていない製造会社・供給業者から原材料を購入していることがある。監査の際は，承認リストと購入原料の受領書と比較することが必要である。また，購入部門がGMP組織の外にある場合があるが，監査では購買部門が承認されたリストに基づいて購入するかを確認することが必要である。原材料の購入規格は，品質部門に承認された規格と同一であることも確認する必要がある。

リスク・観察事項例

- 承認製造業者リストがない場合，また製造業者が特定できないリストの場合は，保証・承認されていない原材料が納入される重大なリスク・観察事項である。
- 購入部門が，品質部門に承認された製造所リスト・品質規格に基づいて購入していない場合も，重大なリスク・観察事項である。

7.14 重要な原材料の供給業者を変更する場合は,第13章「変更管理」の規定に従って処理すること。

監査の視点

照査する文書例:①変更管理SOP,②新規ベンダーの承認SOP
質問例
- 新規に承認した原材料,ベンダーはありますか?
- どのようにリスク評価をしましたか?

監査のポイント

新規供給業者を認定するSOPを確認する。最近認定した供給業者の認定報告書を照査して,SOPに準拠していることを確認する。

リスク・観察事項例

- 新規の供給業者を認定するSOPがない,また品質等を評価することなく認定している場合は,品質低下を招く可能性のある重大なリスク・観察事項である。

7.2 受入及び区分保管

7.20 原材料等を受入れし,使用が許可される前に,原材料等の各容器又は一群の容器のラベル表示(供給者が使用する名前と社内において使用する名前が異なる場合には,両者の関係に関する記載も含む。),容器の破損,封緘の破損,無断書き換え,汚染等について外観を目視検査すること。原材料等は,検体を採取し,必要な試験検査を行い,使用が許可されるまでの間は,区分保管すること。

監査の視点

照査する文書例:①原材料の受入SOP,②ラベル発行のSOP(倉庫,入庫受入現地で確認)

> **質問例**
- 受入れの手順を示してください。
- 最初に確認する書類はどれですか？
- 承認されたベンダーリストは最新版が準備され，担当者が確認できる状態ですか？最新版のリストを示してください。
- IDのラベルは誰が発行するのですか？
- 外観を検証しますか？ 外観に異常があればどのような手続きを取りますか？
- 試験中のラベルは誰が発行しますか？
- 試験中の原材料はどこに保管しますか？ 場所を示してください。

監査のポイント

　原材料が製造所に到着してから，受入検査，品質検査用のサンプル採取，品質検査，検査結果の判定，承認，製造，使用許可までの流れを確認する。

　到着した原材料が承認された製造所で製造されたかチェックする手順があるかを確認する。外観はラベルの破損，汚れの有無，容器の破損・汚染を目視で検査することが行われているか，この承認を経た後でなければ，原材料の倉庫内への移動が認められないかを確認する。この一連の手順により，不適合，未承認の原材料がGMP区域内に入ることを阻止できる。この手順が十分に機能していないと，原材料の品質・信頼性が担保されないことになる。

　適切な表示（検査中，適合，不適合）が各容器になされ，倉庫内で物理的に隔離・区分保管されていることが要求事項である。監査として，不適合な原材料が誤って用いられる可能性がないか，区分保管は混同・汚染防止が物理的に行われているかを確認する。倉庫の管理状態を現地で見ることで，混同・汚染防止が有効に働いているかを確認する。

　試験用のサンプルは，倉庫内，もしくは倉庫外に設けられたサンプリング専用の部屋で実施されるかを確認する。品質検査用のサンプルの採取時の混同・汚染防止がどのように行われているかを確認する。特に，汚染防止には，サンプリングは同時に2種以上の原材料をサンプリング室に入れないこと，採取作業ごとに洗浄を行うことがSOPに明記され，実施されているか，記録されているかを確認する。

　品質検査の結果は，品質部門の照査と承認後，製造に使用できるように適合判定される。自動倉庫等の導入で，表示管理の代わりにPC上のステータスの変更で承認管理を行うケースが増加している。この場合，使用されるPCが改ざん防止等のデータの信頼性が担保されているかを観察する。また，認証された担当者のみがステータスを変更する権限を持っているか，PC管理で改ざん防止・なりすまし防止が有効に働いているかを確認する。

リスク・観察事項例

- 原材料が到着時，承認された製造者からの原材料の確認，外観確認が確実に実施されていない，倉庫への移動前に終了していないことは，不適合の原材料が使用される可能性のある重大なリスク・観察事項になる。
- サンプルの採取を個別で行っていない，採取後清掃を行っていないことは，交叉汚染のリスク・監察事項になる。
- 検査中，適合／不適合のステータス変更を認定された人員以外が行っている場合は品質保証上のリスク・観察事項になる。

7.21 新たに入荷した原材料等を在庫品（例えば，サイロ内の溶媒や保管物）と混合する場合には，当該原材料等が正しいものと識別され，また，必要な場合には試験を行った上で，使用すること。新たな入荷原材料等と在庫品との不適切な混同を防止するため，必要な手順を設けること。

7.22 バルクが専用ではないタンクにより輸送される場合，タンクからの交叉汚染が発生しないことを保証すること。その保証の手段としては，次の方法があり得る。

- 洗浄済証明書
- 微量不純物の試験
- 供給業者の査察

監査の視点

照査する文書例：①バルク原料の受入基準，②バルク原料のQC試験用のサンプル取得基準，③荷受場所で現地確認を行う

質問例
- バルク原料の受入基準を示してください。
- 受入れの際どのような文書を確認しますか？ 確認する文書を規定した記録を示してください。
- ローリートラックから，サンプルを採取する場所を示してください。
- サンプルを採取するのは誰ですか？
- 別送サンプルを評価しますか？ このとき，別送サンプルとの同等性はどのようにして確保，検証していますか，そのことを担保する文書を示してください。

- サンプルを分析してから保管タンクに移送するのですか？
- ベンダーもしくはトラックヤードは監査しましたか？

 ## 監査のポイント

　バルク用で製造所に納入されるものとしては有機溶媒が代表である。このようなバルク溶媒はローリートラック，ケミカルコンテナーもしくは化学品タンカーで輸送される。大量に使用されるため，品質の均一・汚染防止がクリティカルポイントになる。できる限り専用容器，船で輸送されることが望まれる。また，輸送に携わる業者は，専用運転者の特定が必要である。好ましくは，輸送車両・船舶の登録，運転者の登録を行って，入場時に，登録と照合・承認してから場内への入場を認め，専用の待機場所に停車／駐船させる。製造会社へのテロ防止を想定した作業である。

　QCは，直接タンクより試験サンプルを採取する。QCは採取されたサンプルを分析して試験成績書（CoA）を発行，規格適合が承認されてから，タンクより工場の専用タンクに輸送される。好ましくは，専用タンクには前のロットの溶媒が残っているため，新しいロットが輸送タンクに注入された後，混合した溶媒に新しいロット番号を付記して，QCが再度サンプリングして分析を行う。混合品としてのCoAが発行されるべきである。

　これらのことから，バルク化学品のセキュリティを担保するためには，ロットごとの洗浄済証明書，微量不純物の試験，供給業者の監査が必要である。先行・別送サンプルとして，直接タンクからQCが採取しなくてもよいように，小分けした溶媒のサンプルを源タンクより少量抜き取り，QCの試験用サンプルとするのである。この場合，監査を行い，バルクと別に取ったサンプルとの同等性が担保されていることを確認する。

　日本国内で使用される有機溶媒は，近年海外の石油化学基地で製造された後，工業溶媒として輸入され，国内の販売会社のタンクに一時貯蔵される。この貯蔵タンクより小分けされて医薬品製造所へ輸送される。このような現状で，源の製造所を監査することは困難になりつつある。そこで少なくとも，品質検査を行い，小分けしている国内の販売会社を監査して，製品・品質の起源を遡ることが要求される。特に専用のタンクを使用していない場合，タンクの洗浄証明書を輸送ごとに提出することが求められるが，その洗浄の実施の検証も監査にて行うことが望まれる。監査ではこれらの実態を確認する。

> **Check リスク・観察事項例**
>
> - 原薬GMPに定められた要求項に従って，受入試験の項目，スキップ手順が運用されていることが求められるため，それが不十分な場合は不適合品が製造に使用される可能性のあるリスク・観察事項である。
> - 品質検査が終了する前に自家の貯蔵タンクに注入することは，バルク溶媒の品質低下を誘引しかねない軽度のリスク・観察事項になる。
> - 別送のサンプルを受入サンプルとして分析する場合は，製造所の監査でサンプルの同等性を確保していなければ，不適合品を使用する可能性のあるリスク・観察事項になる。

> 7.23 大容量の貯蔵容器，付属配管類，充填，取り出し配管等は適切に識別されていること。
>
> 7.24 原材料等を入れた個々の容器又は一群の容器（ロット）には，識別コード，ロット番号及び受領番号を付して確認できるようにすること。各ロットの移動の際には，この番号を使用すること。各ロットの状態を確認する体制を有すること。

監査の視点

照査する文書例：①社内でのロット番号管理SOP，②CoAの取扱いの文書

質問例
- 配管は溶媒ごとに危険ランクの色表示がされていますか？
- 輸送方向は示してありますか？
- タンク内の残量はどのように計測しますか？
- 容器に添付する識別ラベルを例示してください。
- ロット番号の付与の基準を示してください。

監査のポイント

　バルク用の原材料；有機溶媒（精製水，注射用水も同様に該当）を使用するとき，連続的に貯蔵タンクより移送されるので，そのロット管理の明確化が必要である。バルクタンクより溶媒が直接製造現場に移送されるときは，その管路の明確化と移送時に管路に貯留する場所（デッドポイント）の存在を確認する。仮にそのようなデッドポイント

があるならば，そこに残留する溶媒が混入することを防ぐ必要がある。

バルクタンクから移送管路で，専用でない部分があるならば，溶媒の交換時にこの非専用管路をどのように洗浄するかを確認する。バルクに与えられたユニークなロットに対しての混入防止を図っていることを確認する。

Check リスク・観察事項例

- バルク溶媒の移送路が明示されず，デッドポイント，共用管路が特定されていない場合は，防災上・品質低下の重大なリスク・観察事項になる。
- 共通管路の洗浄方法が文書化されていないと，汚染防止上のリスク・観察事項になる。

7.3 新たに入荷した製造原材料等の検体採取及び試験

7.30 第7.32章に示される場合を除き，原材料等の各ロットの確認のために，少なくとも一つの試験を行うこと。製造業者が供給業者を評価するシステムを有する場合には，供給業者の試験成績書を他の試験項目の実施に代える場合がある。

7.31 供給業者の承認を行う場合には，製造業者が規格に適合する原材料等を継続的に供給できる十分な根拠（例えば，過去の品質履歴）があることを評価すること。自社による受入検査の項目を減らす前に，少なくとも3ロットについて，全項目試験を行うこと。それとは別に，最低限として，全項目の試験を適切な間隔で行い，供給業者の試験成績書と比較すること。試験成績書の信頼性について，一定の間隔で確認を行うこと。

監査の視点

照査する文書例：①変更管理SOP，②新規ベンダーの承認SOP，③試験省略のSOP，④試験省略の理由を文書化した報告書

質問例
- 試験省略をしている原材料のリストを示してください。
- 省略した試験項目を示してください。省略していない項目に確認試験は含まれていますか？
- 試験省略を承認した文書，検討結果を示してください。

- 年次照査の結果を示してください。
- ベンダー承認の手続きを示してください。
- 最近承認されたベンダーはありますか？ その承認に関する文書，報告書を示してください。

監査のポイント

　設定された規格に適合する原材料を製造に用いることがGMPの原則である。原材料の受入れに際して，最低1項目以上の品質試験を行うことが要求されている。監査員は実際に受入工程を確認し，確認試験が行われていることを確認する。さらに，新規供給業者を認定するSOPを確認して，最近認定した供給業者の認定報告書を照査してSOPに準拠していることを確認する。認定後，受入試験を省略することは認められているが，試験省略に際して，受入検査の結果の評価と試験省略の承認がなされた文書の照査，定期的な品質確認試験の実施状況を確認する。

Check　リスク・観察事項例

- 新規に入庫した原材料に関して，CoAの確認のみで，1項目以上の確認試験を行わずに合否判定を行っている場合は，不適合判定に保証がない，品質上問題のある原材料を製造に使用する可能性のある重大なリスク・観察事項である。
- 新規の供給業者を認定するSOPがない，また品質等を評価することなく認定している場合は入庫する原材料の品質・供給上の重大なリスク・観察事項である。
- 試験省略の実施にあたり，科学的な根拠文書がなく試験省略がなされている場合は，不適合品の排除ができなくなるリスク・観察事項になる。

7.32　助剤，危険な又は毒性の強い原料，その他の特殊な原材料等又は当該会社の管理範囲内の別部門から輸送される原材料等に関しては，これらが規格に適合するものであることを示す製造業者の試験成績書が得られる場合には，試験を行う必要はない。
　容器，ラベル，ロット番号の記録等の外観を目視点検することもこれらの原材料等を特定する上で役立つ。これらの原材料等の受入試験をしない場合には，その理由を正当化し，それを文書化すること。

監査の視点

照査する文書例：①試験省略のSOP，②試験省略の理由を文書化した報告書

質問例
- 試験を行っていない原材料はありますか？
- 危険・毒性の強さはどのような基準で制定しましたか？ 国際的に認められている基準でしょうか？
- ベンダーの試験記録等を確認することが規定されたSOPを示してください。
- 受入確認したことを記述した文書を示してください。

監査のポイント

　労働安全性の配慮から，特別に毒性の高い，自然界で安定でない化合物を原料とする場合，製造者のCoAと容器・ラベル等の外観の確認をもって，受入試験に代えることができる。これは，受入試験をしなくてもよいということではなく，省略という選択肢を行使できるにすぎない。また，試験省略は厳格に労働安全上の毒性・安定性が懸念される原料に限定される。単に毒性が高いというだけで試験は省略できない。一般に認められる高毒性（青酸系，塩化水素ガス等），不安定物質（金属ナトリウム，リチウム）等に限定される。監査ではこれらの実態を確認する。

リスク・観察事項例

- 試験省略の実施にあたり，科学的な根拠文書がなく試験省略がなされている場合は，購入品の品質保証ができなくなるリスク・観察事項になる。

7.33 検体はそのロットを代表するものであること。検体採取方法では，採取の対象容器の数，対象容器中の採取部位，各容器からの検体採取量を決めておくこと。採取対象の容器の数と検体採取量は，原材料等の重要度，原材料等の品質のばらつき，供給業者の過去の品質履歴，試験に必要な量等を考慮した検体採取計画に従うこと。

7.34 検体採取は，定められた場所で，検体採取した原材料等の汚染及び他の原材料等の汚染を防止するような手順で行うこと。

7.35 検体採取の対象となった容器を開封する際には，注意して開け，すぐに閉めること。また，当該容器には，検体を採取したことを明記すること。

監査の視点

照査する文書例：①サンプル方針・基準，②サンプル採取指示書・記録書
質問例
- サンプリングの基準はどのように制定しましたか？
- 原材料の均一性は検証しましたか？　ロット内，容器内の均一性を検証しましたか？
- 採取サンプル数は原材料のもつリスクに基づいて制定しましたか？
- リスク分析の結果を示してください。
- ロット間の均一性は検証しましたか？
- サンプリング室は独立していますか？　汚染防止の措置が講じられていますか？
- サンプリングの容器，採取器具・用具は使い捨てですか？　再利用しますか？　再利用するならば，洗浄のログブックを示してください。
- サンプリング室の清掃記録，使用記録を示してください。
- サンプル済みを示すラベルはありますか？

 ## 監査のポイント

　原材料，中間体が規格に適合しているかを検証するために，実際のサンプルを採取して品質検査を行う。近年PAT等の管理手法が導入され，サンプルを採取することなく連続，in line検査が導入された。このときに採用された手法の1つは，近赤外分光・ラマン分光等の非接触型の品質検査である。多くの場合，ロットの中から一部のサンプルを採取して，品質検査を行うことになる。この場合，採取したサンプルがロット全体を代表していることを証明しなくてはならない。このため，以下の項目に関して検討し，その結果を文書に残さねばならない。

　ロット内の均一性が確保されているか？　たとえば新規の原材料で，すべての包装容器より試料を採取・品質検査してロット内の均一性を確認する。

　容器内の均一性は，同一容器内の試料を採取する位置（上部，中部，底部の垂直の分布，容器に接触する外周部分，中心部等水平分布）の均一性を検討する。これらの検討結果より，ロットから試料を採取する容器数，採取位置，採取する量（g/mL）を決めたサンプル基準が定められる。このような基準の作成は，原材料，中間体，製品の物理化学特性，製造時の均一性，固体／液体を検討していかねばならない。このことは，FDAも個々の化学品としてのサンプリング基準を制定することを要求している。このため，サンプル数を"$\sqrt{N}+1$"と一律に基準を定めているときは，その基準を制定した科学的根拠の提示を要求することが監査の重要点になる。加えてFDAは，化合物の物理化学的特性を考慮して，サンプル基準を作成することが必要であるとしている。化学品の特性，原産地の製造環境を考慮してサンプル基準を立案すると，一律基準を当てはめ

郵便はがき

101-8791

707

料金受取人払郵便

神田局承認

1666

差出有効期間
2023年9月
30日まで
（切手不要）

（受取人）
東京都千代田区神田猿楽町
1-5-15（猿楽町SSビル）

株式会社 **じほう** 出版局

愛読者係 行

（フリガナ） ご住所	☐☐☐-☐☐☐☐		☐ご自宅 ☐お勤め先
	TEL：　　　　　FAX： E-mail：　　　　　@		
（フリガナ） ご所属先		部署名	
（フリガナ） ご芳名			男・女 年齢（　　）
ご職業			

お客様のお名前・ご住所などの情報は、弊社出版物の企画の参考とさせていただくとともに、弊社の商品や各種サービスのご提供・ご案内など、弊社の事業活動に利用させていただく場合があります。

リスクベースによるGMP監査実施ノウハウ
第2版

ご愛読者はがき　　　　　　　　　5419-4

1．**本書をどこでお知りになりましたか。**
□ 書店の店頭で　□ 弊社からのDMで　□ 弊社のHPで
□ 学会展示販売で　□ 知人・書評の紹介で
□ 雑誌・新聞広告で【媒体名：　　　　　　　　　　　　　】
□ ネット書店で【サイト名：　　　　　　　　　　　　　　】
□ その他（　　　　　　　　　　　　　　　　　　　　　）

2．**本書についてのご意見をお聞かせください。**

有　用　性（□ たいへん役立つ　□ 役立つ　□ 期待以下）
難　易　度（□ やさしい　□ ふつう　□ 難しい）
満　足　度（□ 非常に満足　□ 満足　□ もの足りない）
レイアウト（□ 読みやすい　□ ふつう　□ 読みにくい）
価　　　格（□ 安い　□ ふつう　□ 高い）

3．**最近購入されて役立っている書籍を教えてください。**

4．**今後どのような書籍を希望されますか。**

5．**本書へのご意見・ご感想をご自由にお書きください。**

ご協力ありがとうございました。弊社書籍アンケートのご回答者全員の中から**毎月抽選で30名様に図書カード（500円分）をプレ**ゼントいたします。お客様の個人情報に関するお問い合わせは、E-Mail：privacy@jiho.co.jpでお受けしております。

ることは困難である。

サンプル採取は，汚染防止を念頭におき専用のサンプル室で行い，採取後の容器は明確に表示しなければならない。また開放した容器は，さらなる汚染防止のため確実に密閉せねばならない。監査ではこれらの実態を確認する。

> **Check リスク・観察事項例**
> - サンプル採取基準を科学的根拠にて決めていなければ，現状では品質保証上のリスク・観察事項となる。
> - サンプル採取室が専用化されていない，清掃基準・清掃記録が備わっていない，記録されていない場合は，混同・交叉汚染による品質低下のリスク・観察事項になる。

7.4 保管

7.40 原材料等は，分解，汚染及び交叉汚染を防止するよう，取り扱い，保管すること。

7.41 原材料等が保管されているファイバードラム，バッグ又は箱は，直接床の上に置かないこと。清掃や検査を行うため，必要な場合には，適切な間隔をあけて置くこと。

7.42 原材料等は，品質が確保される条件・期間で保管し，最も古いものから順次使用されるように，適切に管理すること。

7.43 容器の識別ラベルが変質せず，また，開封して使用する前に容器を適切に洗浄する場合には，適正な容器に入った特定の原材料等を屋外で保管する場合がある。

7.44 不合格と判定された原材料等については，製造工程に許可なく使用されることのないよう，区分保管システムにより，識別し，管理すること。

監査の視点

照査する文書例：①原材料の取扱い基準・SOP，②倉庫の室温記録

質問例
- 不適合品の保管場所はどこですか？ 施錠は誰が管理していますか？
- 先入先出しを励行していますか？ 入庫，出庫の記録を示してください。
- 各原材料は混同防止のために十分な空間を保っていますか？

- 保管庫の室温はどの範囲に規定してありますか？ 記録はありますか？
- 範囲を超過したならばどのような手段を講じますか？

監査のポイント

　原材料倉庫は，"試験中"，"適合"，"不適合"の3種のステータスに従って，できれば物理的に隔離して保管することが望ましい。倉庫の規模から，確実に隔離して3種の区域に区分できないときは，少なくとも不適合の区域は特別に閉鎖空間（施錠管理できる小さな部屋）を設けることが要求される。"試験中"，"適合"の2つの区域はパーテーション等の物理的障壁で混同を防止する必要がある。保管倉庫は，できる限り専用倉庫であることが望まれる。原材料の物理化学的性質から，適切な温度（恒温，低温），湿度，換気条件で保管することが求められる。また保管条件は記録され，適切な保管基準に適合させられる。このため，条件が合えば屋外で保管することも可能である。原料の製造までの保管期間は最小限にする必要があるので，先入先出しの原則が適用される。外部ストレスの観点から，保管容器は直接地面に置かず，パレット等の上に置き，容器へのストレスを軽減していることを確認する。

　多くの製造所では，コンピュータ化された自動倉庫を使用している。このため表示，ラベルが用いられない例が多くみられる。このような自動倉庫では，表示は必須ではない。この自動倉庫を管理するコンピュータ制御が監査の主体となる。

リスク・観察事項例

- 倉庫内での区分保管がなされていない，混同の可能性がみつかれば交叉汚染のリスク・観察事項である。
- 保存倉庫の環境がモニターされていない，もしくは管理基準が設定されていないことは原材料の品質低下のリスク・観察事項となる。
- 倉庫の温度マップは，空の状況で測定することでなく，負荷をかけた状況で測定する必要があるため，温度マップが空の倉庫状況で測定されたならば，稼動時の条件を反映していないため品質低下のリスク・観察事項である。
- 自動倉庫を制御するコンピュータ管理が不十分な場合（共通ID/パスワードの使用，離席時のコンピュータの放置等）は，倉庫管理の大きなリスクとなり，観察事項となる。

7.5 再評価

7.50 原材料等が,例えば,長期に保存された場合又は熱や湿気に曝された場合には,使用に適しているかどうかを確認するため,再評価を実施すること。

監査の視点

照査する文書例:①原材料の保管に関するSOP,②原材料の再評価SOP

質問例
- 原料を再評価する基準,SOPはありますか? その基準は,どのようにして定めましたか?
- 再評価の合格基準はどのように定めてありますか?

監査のポイント

原材料が長期にわたってストレス(温度,湿度)に曝された際に,品質が影響を受けると判断される場合,保管された原材料は製造に使用するためにその科学的性質(特に不純物プロファイルの変化)がないかを確認する。

リスク・観察事項例

- ストレス下,原材料を長期保存した場合,製造に使用する前に再評価するSOPがない場合は,長期にわたり保存している原材料の品質低下を検証できないリスク・観察事項になる。

8

製造及び工程内管理

8.1 製造作業

8.10 中間体・原薬の生産に用いる原料は,使用への適合性に影響を与えない適切な条件下で秤量又は計量を行うこと。秤量装置及び計量装置はその使用目的に応じて適切な精度のものであること。

 ## 監査の視点

照査する文書例:①製造記録・指示書
質問例
- 秤量のとき,汚染防止の方法・手段はどのようにしていますか?
- 秤量室の清浄度をどのような基準で定めていますか?
- 秤量室は1品目のみ秤量しますか? 複数品目ですか?
- 清掃基準はどのような基準ですか? 秤量ごとですか?

 ## 監査のポイント

　製造に使用する原材料を秤量する場所は,汚染防止の対策がなされていることが要求事項である。他の原料との交叉汚染,環境への汚染が防止された専用の秤量室で,原料が製造に必要な分,秤量されていることを確認する。

　原料の秤量はすべての製造の出発点であるため,厳格な汚染防止が必要である。このときに使用する秤は,原料の秤量の精度に準じて選定されることになる。デジタル仕様の秤が必ずしも必要というわけではなく,校正された機械秤でも問題はない。これらの実態を確認する。

リスク・観察事項例

- 原料の秤量場所に汚染防止の手段が講じられていない場合は，交叉汚染のリスク・観察事項である。
- 使用する原料の秤量精度が求められる精度と合致しない，たとえば10g単位の精度が要求される製造条件で，100g単位の精度しかない秤で秤量している場合は製造時の工程管理（バリデート範囲を逸脱）・品質に影響を及ぼすリスク・観察事項である。

8.11 後の製造作業での使用のために原材料等を小分けする場合は，適切な小分け容器を用い，また，以下の内容がわかるように当該容器に表示すること：

- 原材料等の名称・コード；
- 小分け番号又は管理番号；
- 当該容器中の原材料等の質量又は容量；
- 必要であれば，再評価又はリテストの日付。

8.12 重要な秤量，計量又は小分け作業については，作業者以外の者の立会いのもとで行うか又はそれと同等の管理を行うこと。製造担当者は原材料等の使用前に，当該原材料等が目的とする中間体・原薬の製造指図に指示されたものであることを確認すること。

8.13 その他の重要な作業については，作業者以外の者の立会いのもとで行うか又はそれと同等の管理を行うこと。

8.14 実収量については，製造工程の指定された段階で，期待収量と比較すること。期待収量については，実験室データ，パイロットスケールデータ又は製造データに基づいて，適切な範囲を設定すること。重要工程に係る収量の逸脱については，そのロットの品質への影響又は影響のおそれについて調査・確認を行うこと。

監査の視点

照査する文書例：①製造記録，②中間体の表示に関するSOP，③収量の基準（管理基準）

[質問例]

- 中間体のラベル表示を見せてください。

- 混同はどのように防ぎますか？
- 秤量は誰が担当していますか？
- 第2の作業員によって再度秤量しますか？ 記録の確認だけですか？
- 収量の基準はどのようにして制定しましたか？
- 収量の管理幅から外れた場合は逸脱処理しますか？

監査のポイント

　工程管理の1つに中間体の管理がある。中間体は，得られた全量を次の工程に使用する場合，必要量を小分けして使用する場合などさまざまであり，明確な表示は必須である。特に汎用工場においては厳格でなければならない。そのため，ラベルに加えてバーコード，ICチップ等が併用されている。どのように混同が防止されているか確認する。

　製造工程全般であるが，秤量は品質に影響を及ぼす重要な作業であるので，複数の作業者での実施・確認が要求される。このため，秤量の実施者と確認を行う作業員の2人での作業が要求される。もしくは，秤量結果が真値であることを証明できるシステムが求められる。GMPは性悪説に立脚しているので，秤量した作業員の作業正確性を確かめるため，独立した作業員が秤量した原材料・中間体を再度秤量・記録することが通常行われている。適切に工程が設定されている場合は，標準収量の範囲を定めることが可能になる。一般に研究開発段階で標準収量，バリデーションで収量の範囲が決められる。収量が異常値・逸脱することは工程内に何らかの逸脱が起きたと推定され，またそれは，品質への影響が懸念されるため，"逸脱"の取扱いを確認する。収量は，年次照査で工程の安定性・頑健性の指標となるので常に着目し，製造所が収量の異常を逸脱として扱って調査しているかを確認する。

リスク・観察事項例

- 中間体のラベルに，混同防止のための離脱困難かつ識別が容易なラベルが準備されていなければ，混同のリスク・観察事項である。
- 必要な混同防止（誤使用）の手段が講じられていない（たとえば品目，製造日，使用期限等）場合は混同のリスク・観察事項になる。
- 秤量作業が複数の作業員によって正確に実施記録されていない，もしくは1人作業である，またその確認システムが不十分な場合は混同のリスク・観察事項である。
- 標準収量が設定されていない，もしくは標準収量を外れた場合に逸脱処理を行っていない場合は工程・品質管理上もしくは再発可能性のリスク・観察事項になる。

8.15 全ての逸脱について，記録し，明らかにすること。また，全ての重要な逸脱について，原因の調査を行うこと。

監査の視点

照査する文書例：①逸脱管理SOP，②CAPAのSOP，③原因調査のSOP

質問例

- 逸脱管理のSOPを提示願います。
- 最近の逸脱のログブック・リストを示してください。
- 生産ロット数と，この製造所の従業員数を教えてください。
- 逸脱はその内容でクラス分類をしますか？　その基準はどのように設定していますか？
- 逸脱の初期には，何をしなければならないと規定していますか？
- 製造途中であれば停止しますか？　隔離しますか？
- 逸脱処理のフローを示してください。
- CAPAの計画・実行の手順を教えてください。
- 同様の逸脱が発生した場合，再調査しますか？
- 根本原因を明確に究明してからCAPAを開始しますか？
- 根本原因が特定できない場合，どのように処置しますか？
- CAPAの有効性はどのように検証されますか？
- CAPAは根本原因を取り除き，再発しないことに注力していますか？

監査のポイント

　本書のp95で述べたことのくりかえしになるが，監査では，優先的に逸脱手順・管理を確認する。逸脱は統計的に一定の確率で発生することを監査員は念頭におくべきである。たとえば，製造所の年間の製造ロット・バッチ数，従業員数から逸脱の発生数は予測される。極端に逸脱の報告数が少ない場合は，監査員は逸脱を適切に処理していないと憶測する必要がある。また，予想以上に逸脱が多い場合は，QMS/CAPAが十分に機能していないと想定しながら監査を進めることとなる。

　逸脱管理で重要なのは，SOPに記述された逸脱の管理に品質部門が積極的にかかわっていることである。

　ログブックより選択して数点の逸脱報告書を詳細に照査するが，特に注目する点は，原因調査，応急の是正措置と根本原因調査が適切に行われているかどうかである。特に

根本原因がヒューマンエラーと一辺通りに記述されており，CAPA計画に，"再教育"とだけ記述されているような逸脱報告には注目すべきである。

　逸脱管理の本来の目的は，そのときの是正から根本原因を解決・除去して再発防止を図ることである。ヒューマンエラーという一辺通りの根本原因調査は，FDAにも受け入れられない。ヒューマンエラーを誘導した背後にある原因調査をしているか，そのような調査を行う手順があるかを監査では確認する。また，CAPAを計画・実施するが，再度類似の逸脱が発生すれば，根本原因調査，CAPAは有効でなかったことになるので，逸脱管理システムが十分機能していないことになる。このような観点から監査を進める。

> **Check**
> ### ✓ リスク・観察事項例
>
> - 逸脱報告を行ってない逸脱事象が発見される，もしくは逸脱の二重管理を行っている場合は，GMPコンプライアンス上の重大なリスク・観察事項である。
> - 根本原因を"作業員の間違い，勘違い"というような，直接的な原因としている，あるいは逸脱管理が是正を行ったことで終了している場合，再発リスクが高く，観察事項となる。
> - 根本原因調査が形式的に行われ再発が起きている場合，CAPAの有効性が確認されていない場合は，再発可能性があるリスク・観察事項になる。
> - 逸脱処理が期限内に終了していない，形だけの終了であることが観察された場合は，GMPコンプライアンス上の重大なリスク・観察事項である。特に逸脱処理が終了していない状況で出荷承認された場合は，重篤なリスク・観察事項と判断され，監査は中断されることもある。

8.16 設備の主要部分の運転状態は，各装置に表示するか，もしくは，適切な文書，コンピュータ管理システム又はそれらに代わり得る方法のいずれかにより示すこと。

監査の視点

照査する文書例：①設備の稼働状態管理のSOP，②製造現場での工程管理の確認

[質問例]
- どのようにして工程の状態を管理しますか？
- 装置の表示をマニュアルで確認記録しますか？　コントロールパネルで確認しますか？

監査のポイント

　製造現場では，現に稼動している機器・設備は，その稼動状況（稼動中，製造中，洗浄済み，洗浄前等），製造品目，ロット番号，作業開始時間，終了時間等の表示が物理的になされることが望ましい。現在では，シークエンス等で状態表示ができるため，その表示を作業員が適切に監視できるような状態にしていなければならない。また，シークエンス等で監視する場合は，①その状態を電子データとして保管，②紙ベースに打ち出して確認，のいずれの表示法でもかまわない。

リスク・観察事項例

- 現場において製造条件の表示が適切でなく，作業員が容易に確認できない位置・状況にある場合は工程管理ができておらず，品質保証上のリスク・観察事項になる。

8.17 再加工又は再処理をする中間体，原薬等は，間違って使用されることのないよう適切に管理すること。

 ## 監査の視点

照査する文書例：①OOS処理手順書，②再加工，再処理SOP
質問例
- OOS管理で不適合が確定した中間体・原薬・製品はどこに保管されますか？
- 適切なラベルが添付されますか？
- 施錠管理等が施され，誤って使用される恐れがない状態になっていますか？

 ## 監査のポイント

　OOS判定された中間体，原薬，製品が厳格に管理される手順，施設が存在することが前提である。故意，誤謬にかかわらず，正規の手続きなく再処理・再加工に供されることを防がねばならない。往々にして，GMP遵守の意識が低い製造所では，この管理が徹底されていないことが多い。監査においては，手順（SOPと記録）と施錠できる施設等ハード面で，厳重に管理ができているかを確認する。

> **Check ✓ リスク・観察事項例**
>
> - 手順（SOPと記録）と施錠できる施設等のハードが存在しない，もしくは手順なしに再処理・再加工に供される場合は，不適合品を誤って使用する可能性があり，混同の重大なリスク・観察事項である。

8.2 時間制限

8.20 工程完了に係る時間制限が製造指図書原本に示されている場合（第6.41章参照），当該時間制限は中間体・原薬の品質保証に適うものであること。時間制限が逸脱した場合には，それを記録し，評価すること。なお，例えば，pH調整，水素添加，設定規格値までの乾燥等，工程が一定の目標値をもって進められる場合，反応・工程段階の終了時点は，工程内での検体採取及び試験により定められるため，時間制限を規格として設定することは不適当である。

監査の視点

照査する文書例：①製造記録書

質問例
- 製造工程で時間制限が設けられていますか？
- プロセスバリデーションにおいて評価され，製造時間が制定されましたか？
- 製造時間はリスク（たとえば不純物プロファイル）に基づいて制定されていますか？

監査のポイント

　GMPでは，製造条件は各種のクオリフィケーション／バリデーションを行い，固定される。固定された条件下で製造された中間体・原薬・製品は，一定の品質になることが期待されている。この製造システムを保証することがGMPである。このため，反応時間・終点はあらかじめある範囲に設定されねばならない。PATの考え方では，品質管理値での管理となるので時間管理ではないが，この要求項はあらかじめ決められた時間範囲，終点で製造は管理せねばならない。このため，管理値の設定が要求される。

　管理値を逸脱した場合は逸脱管理の対象になり，影響調査を行わねばならない。このような逸脱は，不純物プロファイル，収量に影響を及ぼすことがある。監査ではこれら

の実態を確認する。

Check リスク・観察事項例

- PATを適用しておらず，反応等に管理基準として時間制限を設けていない場合は，品質低下・患者への安全性上のリスク・観察事項である。また，管理時間を逸脱したときの影響調査が行われていない場合も，再発可能性があるリスク・観察事項である。

8.21 さらに処理を行う中間体は，使用への適合性を保証する適切な条件下で保管すること。

監査の視点

照査する文書例：①中間体の管理基準，②バルク品保存期間
質問例
- 中間体・バルク品の保管期間は制定されていますか？
- 中間体・バルク品の安定性を確認したうえで保管期間を制定しましたか？
- 中間体・バルク品の保管期間の経過後はどのように管理しますか？

監査のポイント

中間体もしくはバルク品は，最終工程の前の工程で保管されることが多い。このため，中間体もしくはバルク品の保存安定性試験を行い，保管期間を定めることが要求されている。ICH Q1に準拠し，中間体もしくはバルク品の保存安定性試験を行っているかを確認する。

Check リスク・観察事項例

- 中間体もしくはバルク品の保存安定性試験の未実施，もしくは保管期間を設定せず，さらに使用前の品質確認を行わず次工程に進んでいるならば，品質低下のリスク・確察事項である（ただし使用前に品質検査を行っている場合を除く）。

8.3 工程内検体採取及び管理

8.30 中間体・原薬の品質特性に影響を及ぼす工程の進捗状況をモニターし，工程の状況を管理するための手順書を確立すること。なお，工程内管理及びそれらの判定基準は，開発段階で得た情報又は実績データに基づいて設定すること。

8.31 試験の判定基準，種類及びその範囲は，製造する中間体・原薬の特性，反応・工程及び当該工程が製品の品質に及ぼす変動の程度による。初期工程での工程内管理はあまり厳しくなくてもよいが，後の工程（例えば，分離及び精製段階）になるほど，より厳重な管理が必要である。

8.32 重要な工程内管理（及び重要工程のモニタリング）に係る事項については，管理事項及び管理方法を含め，文書化し，品質部門による承認を受けること。

8.33 工程内管理として，製造部門の従業員が，品質部門の事前承認なしで工程の調整を行う場合がある。ただし，その場合は，当該調整は品質部門により事前に定められ，承認された限度内であること。全ての試験及びその結果は，ロット記録の一部として全て記録すること。

8.34 工程内の原材料等に関する検体採取方法に係る手順書を作ること。検体採取計画及び検体採取手順は，科学的に妥当な方法に基づいていること

8.35 工程内での検体採取は，採取した検体と他の中間体・原薬との汚染を防止するように設計した手順を用いて実施すること。手順は，採取後の検体の完全性を保証するように設定すること。

8.36 通常は，工程のモニター又は調整の目的で行う工程内試験において，規格外試験結果に係る調査を行う必要はない。

 ## 監査の視点

照査する文書例：①製造管理SOP，②パラメータ管理範囲と設定根拠，③中間製品のサンプリングの採取場所を示した製造記録，④中間体の管理基準

質問例

- 工程管理としてサンプルを採取して品質検査しますか？ 手順を示してください。
- 工程管理の閾値は設定されていますか？
- 管理基準を示してください。
- 中間体の試験用サンプル採取にあたり，製造中の装置内の均一性は検証されていますか？ サンプリングはそのバッチを代表していますか？
- 汚染防止の手段を講じてサンプル採取しますか？ 汚染防止の手段を示してください。

● サンプルを採取する担当者は，教育訓練を受けて認定されていますか？ その担当者の教育訓練記録を示してください。

監査のポイント

　ここでは製造管理の考え方を確認することとなる。特に上流（原料）から下流（製品）へと製造が進むにつれて，管理基準がより厳しくなるように設定してあるかを確認する。また，その管理基準の設定が科学的に妥当であるか，その設定に用いた試験，バリデーション結果がパラメータの妥当性を説明できるかを確認する。最終製品に近接するほど，一定の規格内に品質が落とし込まれるような工程管理，製品設計が求められている。原料→中間体→製品への管理基準は，製品に近づく工程ほど狭く設定する，この設定幅に入るように管理しているかが確認事項である。

　さらに，反応系内の均一性が検証されているかを確認する。検証されていない場合，工程内試験用のサンプルがバッチを代表していることが証明されなければ，工程内試験の妥当性に対するリスク・観察事項となる。

　また，設定されたパラメータの管理幅の妥当性の結果を確認する。管理幅はバリデーション，ベリフィケーションに基づいた幅でなくてはならない。その管理幅は3シグマのように機械的にあてはめるのでなく，確実にその幅内で製造すれば，規格に適合する製品，中間体が製造される管理範囲でなくてはならない。監査ではその実態を確認する。品質管理のために中間体をサンプリングして品質検査を行うが，その手順は汚染防止に注力したSOPでなければならない。これらを確認する。

> **Check**
> ### リスク・観察事項例
>
> - 工程ごとの管理規格が，より製品に近い工程ほど厳密でなく，同じレベル・均等な規格であればGMPコンプライアンス上・品質低下のリスク・観察事項となる。
> - 設定された工程管理パラメータの上限・下限が検証されていない場合，工程管理の異常（上下限域）の品質低下を予測できないリスク・観察事項となる。
> - 管理幅が実証に基づかず　経験等の科学的な証明がなされていない手法で設定されている場合は，工程管理値の変動による品質低下を予測できないリスク・観察事項になる。
> - 中間体・製品のサンプリング方法が文書化されていない，汚染防止が施されていない採取方法の場合は，品質管理が不適切なリスク・観察事項である。

8.4 中間体・原薬のロット混合

8.40 本ガイドラインの目的により，混合は，均質な中間体・原薬を製造するために同一規格内の中間体・原薬を混合する工程と定義する。単一ロットからの分画物（例えば，単一の結晶化ロットを複数に分けて遠心分離を行った場合の遠心分離物を集めたもの），又は，以降の工程のために複数のバッチの分画物を工程内で混ぜることは，製造工程の一部と考えられ，混合とは考えない。

8.41 規格外試験結果のロットを規格に適合させる目的で他のロットと混合しないこと。混合を行う各ロットについては，定められた工程により製造し，ロットごとに試験を行い，混合する前に規格に適合していることを確認すること。

8.42 許容される混合作業には，例えば以下の場合が含まれるが，それに限定されるものではない：

- ロットサイズを大きくするために，小ロットを混合する場合
- 単一ロットを作るために，中間体・原薬のロットの端数品（即ち，比較的少量の半端品）を混合する場合

8.43 混合工程は，適切に管理し，記録すること。また，混合ロットは，必要に応じ，設定規格に適合しているか否かについて試験を行うこと。

8.44 混合工程に係るロット記録は，混合を行った各ロットを追跡できるように記録すること。

監査の視点

照査する文書例：①製造工程管理記録，②混合のSOP

質問例
- 混合工程では，同一ロット・バッチ内のサブロット・バッチを混合しますか？
- ロット・バッチをまたいでの混合を行いますか？
- 適合品と不適合品を混合することはありましたか？
- 混合される前に品質検査を行い，適合を確認しますか？

監査のポイント

混合工程を，均一の製品・中間体を得るために，複数のロット・バッチを混合して，均一で大量の製品・中間体を得る工程であると取り扱っていることを確認する。乾燥後，遠心分離後の中間体・製品を混合してロット・バッチ内の均一化と混同されていないこ

とを確認する。また，適合品と不適合品を混合して，規格適合品にする手法として混合が行われていないかを確認する。混合は，規格適合品どうしを混合することを厳に確認する。

混合工程の製造記録は，個々の混合される製品・中間体の製造記録が追跡できるように，記録を保管しなくてはならないので，製造記録を照査して，個々の製造記録を追跡することが重要である。これらの実態を確認する。

> **Check リスク・観察事項例**
> - 不適合品の救済のため，適合品と不適合品を混合していた場合は，GMPコンプライアンスに違反する重大なリスク・観察事項となる。
> - 製造現場に，余剰の原料，中間体を保管していることは，製造しているバッチに添加して規格（収量，含量）に適合させるために使われるリスクがあることから，重大な観察事項となる。
> - 端数品を混合した製造記録で，個別の混合前の製造記録が追跡できない場合は，重大な観察事項になることもある。
> - 混合を新規の製造記録として，個々の製造記録を引用・削除している場合は，トレーサビリティが保証されず，不適合品の混合を排除できない重大なリスク・観察事項である。

8.45 原薬の物理特性が重要な場合（例えば，固形の経口投与形態又は懸濁剤への使用を目的とする原薬）には，配合ロットの均質性を示すために混合作業のバリデーションを実施すること。バリデーションには，混合工程によって影響を受ける重要な特性（例えば，粒度分布，かさ密度，タップ密度）の試験を含めること。

8.46 混合が安定性に対して悪影響を与えるおそれがある場合には，最終混合ロットの安定性試験を行うこと。

監査の視点

照査する文書例：①製造工程図，②ロット内均一性を評価したバリデーション報告書

> 質問例
- 均一な原薬を得るために，原薬の適用分野を考慮して均一化しますか？
- 混合した原薬の安定性試験を行いますか？

監査のポイント

　経口固形製剤ならびに懸濁製剤では，原薬の粒径，かさ密度が，溶出性，吸収性に影響を及ぼすことが知られている。原薬の均一性は，製剤の品質等の均一性に大きな影響を及ぼす可能性がある。原薬の最終精製工程である遠心ろ過，棚式乾燥工程後，混合工程がない状態では，物理特性の均一性は担保されない状態と推測される。また，ピンミル等の粉砕工程でも，排出される粉砕品は粒度の均一性，かさ密度の偏析等が予測されるので，最終製品としては混合が行われることが推奨される。しかし，バリデーション等を行い，最終的に原薬で均一性が確認されているならば問題はない。

　注意を要することは，ロット間の物理的特性が均一であることの確認がなされているかという点である。特に経口剤では，使用される原薬の粒子径に差異があると，溶出性に差がみられることが予想され，均一性が保証されなくなる可能性がある。

　製造する原薬の使用目的，製剤の剤形を考慮・リスク分析を行うことが期待される。監査者は，原薬のロット内・間の物理特性の均一性をどのように担保・保証するか，手段・基礎データを製造所が提供できるかを確認する。

 リスク・観察事項例

- 原薬のロット内・間の物理的特性の均一性をバリデートしていない場合は，品質保証上の推奨もしくは観察事項となる。
- 要求規格における物理的特性の必要性に関しては，原薬の使用目的，製剤の剤形を考慮してリスク分析を行い，必要な混合・粉砕工程を検討・実施していない場合は，製品品質の均一面でのリスク・観察事項になる。

8.47 混合ロットの使用期限又はリテスト日は，混合に用いたロット又は端数品のうち最も古いものの製造日に基づくこと。

監査の視点

照査する文書例：①使用期限の設定SOP，②混合品の製造記録

質問例
- 混合したことを示したログブックを示してください。
- 使用期限が，混合された個別の製造品の一番古い製造日に基づいていることを示してください。
- ロット・バッチの残りを集めて，もしくは複数のろ過母液を集めて，別のロット・バッチを製造していますか？ そのときの製造日はどのように決めていますか？

 ## 監査のポイント

混合工程が行われた場合，製造ロットは別途設けなければならないので，そのロット番号の付記の手順も確認する。使用期限は混合される個々のロットで，一番古いロットの製造日を基点に算出することを確認する。

リスク・観察事項例

- 混合日を製造日として，使用期限，リテスト日を制定している場合は，品質低下のリスク・観察事項になる。

8.5 汚染管理

8.50 適切な管理が行われている場合でも，残留物が，中間体・原薬の連続するロットに持ち越されることがある。例えば，微粉砕機の壁に付着している残留物，遠心機からの取り出し後に遠心機内に残った湿気を帯びた結晶の残留物，次の工程へ内容物を移動させる際の処理槽からの液体又は結晶の取り出し残等が事例としてあげられる。ただし，そのようなキャリーオーバーが，結果的に設定した原薬の不純物プロファイルに悪影響を与えるような分解物又は微生物汚染のキャリーオーバーとならないこと。

8.51 製造作業は，中間体・原薬以外の物質による汚染を防止する方法で実施すること。

8.52 精製後の原薬を取り扱う場合には，汚染を防止するための予防措置を講じること。

監査の視点

照査する文書例：①洗浄SOP，②洗浄記録，③洗浄バリデーションプロトコール・報告書，④残留許容基準，⑤工程環境での汚染防止策

質問例
- 汚染防止のため，製造後すぐに洗浄しますか？ 時間をおいて洗浄しますか？
- 認められる放置時間は定めてありますか？
- 残留許容基準はどのように設定していますか？ また，分解物，微生物，エンドトキシン等を含みますか？
- マルチプラントですか？ 専用ですか？ マルチプラントならば，他の原薬との製造順序の組み合わせでの許容残留基準の表を作成していますか？
- 最終工程，包装工程では，生成された原薬・製品への汚染防止策が講じられていますか？

監査のポイント

　GMPの基本原則の1つである汚染防止に関して，製造所がとっている手段とその現状を確認する。製造所が，汚染防止のために汚染源をリスク分析で特定しているかを確認する。前回の製造からのキャリーオーバーにより，残留物質が物理的・時間的に分解して新たな分解物・既存の分解物・不純物を増加させることがある（内部汚染）。見落とされる傾向にあるこの内部汚染の例としては，製造装置部材への吸着・脱着による汚染があげられる。このため，オーリング，プラスチック製配管，ガスケットへの物質の吸脱着がないことを確認しているか，またそれらからの溶出がないかをリスク分析しているかを監査する。PIC/Sガイドにおいても，残留許容基準は混入する可能性がある成分の安全性を精査して決めることを求めている。FDAは，"残留許容基準10ppm"を認めたことはないと公表している。

　内部汚染とは異なる汚染として，環境からの混入物質（菌，異物，害虫等）と原材料に混入する汚染物質（水道水・精製水中の微生物・重金属，回収溶媒中の不純物等）による外部汚染がある。製造環境での混入のリスクを評価したうえで汚染防止の対応がなされているかを確認する。対応手段としてあげられるのが洗浄バリデーションの実施で，洗浄方法の確認と残留許容基準の策定があるので，この結果を確認する。現在では，1回限りのバリデーションでは不足であるとされている。そこで，繰り返しの洗浄バリデーションの実施，洗浄ごとの確認（スワブ，リンス法での残留物確認）を行い，年次照査で洗浄法の妥当性を確認していることをチェックする。特に洗浄ごとの確認は，ホットスポットと考えられる洗浄困難箇所をモニターしているかが確認事項となる。多くの製造所は表面的な洗浄確認を行う傾向があり，監査では，汚染を検出できる手法が用いられているかが確認事項になる。外的汚染防止に関しても，環境のモニタリング，

落下異物防止，水質検査を実施して防止を図っていることはすぐに確認できる。それ以外の外的汚染のリスクがないか，製造所がリスク分析を行っているかを確認する。

> **Check ✓ リスク・観察事項例**
>
> - 残留許容基準が科学的（毒性学的）知見に基づいて，また残留物質の安定性を考慮して決定されていなければ，品質低下・交叉汚染のリスク・観察事項である。
> - 残留許容基準が，前に製造した原薬を考慮せずに設定されている場合，交叉汚染のリスクがあり，観察事項となる。
> - 逸脱と関連するが，汚染が観察・報告された後，リスク分析，汚染源の特定，対策がとられていない場合は，再発・交叉汚染のリスク・観察事項になる。
> - 毒性学的根拠がなく，残留許容基準を一律に投与量の1/1000，もしくは10ppmに設定している場合は，安全性上のリスクがあり，観察事項となる。

9 原薬・中間体の包装及び識別表示

9.1 一般事項

9.10 包装材料及び表示材料の受入れ,確認,区分保管,検体採取,試験・検査,出庫及び取扱いを記述した手順書を備えること。

9.11 包装材料及び表示材料は設定規格に適合すること。規格に適合しないものは不合格とし,作業への不適切な使用を防止すること。

9.12 包装材料及び表示材料の出庫ごとに,受入れ,試験・検査及び適否を示す記録を保管すること。

監査の視点

照査する文書例:①包装基準書,②原材料検査のSOP,③在庫管理ログブック

質問例
- 包装資材・表示資材の入荷,検査,出庫の手順を示してください。
- 包装資材・表示資材のログブックを示してください。

監査のポイント

包装資材,表示資材の管理は原料の管理と同じく厳格に行わなければならないので,監査では原料の入庫に関する手順と同じ厳格さでの運用がされているかを確認する。製品用の表示等国の認可を受けた文書には特に厳格な管理が求められるため,その運用状況を確認する。保管庫での"検査中","適合","不適合"の区分保管の現状確認から,混同防止がなされているかを確認する。また,不適合品は適切に処分して,包装区域に

持ち込まれないようにすることができているかの確認をする。

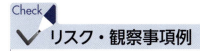

リスク・観察事項例

- 区分保管，表示が適切に行われていない場合は，混同のリスク・観察事項である。

9.2 包装材料

9.20 容器は，中間体・原薬の輸送中及び定められた条件での保管中に発生するおそれのある当該中間体・原薬の変質又は汚染を適切に防止するものであること。

9.21 容器は清浄なものであり，中間体・原薬の特性により必要な場合には，その使用目的に適していることを保証するために消毒すること。また，容器は，規定した限界値を超えて中間体・原薬の品質を変化させるような反応性，付着性又は吸着性を有さないこと。

9.22 容器を再使用する場合には，文書化した手順に従って洗浄し，前回使用したすべてのラベル類を除去するか，又はその表示内容を消すこと。

監査の視点

照査する文書例：①容器の仕様書（開発記録を含む），②容器の洗浄・殺菌SOP（製造記録書の一部）

[質問例]
- 採用された容器は中間体・原薬・製品の変質・品質劣化，汚染を防ぐのに適していますか？
- 変質・品質劣化，汚染を十分に防ぐことを検証していますか？
- 採用される容器の清浄度はどのように検証していますか？
- 容器は包装される中間体，原薬，製品の品質を変化させることがないこと，容器からの溶出，容器への吸着がないことを検証していますか？
- 容器を再使用するときは，確実に表示等が除去されたことを検証していますか？

監査のポイント

　容器の選定・管理は，中間体，原薬，製品の保管・移送中の品質の低下防止において重要な役割を果たすため，監査では容器の選定理由，評価の手順（SOP）や，採用された容器の評価結果を確認する。特に求められる水分透過性，酸素透過性，気密性，遮光性，微生物汚染防止等の特性が，どのように評価され判定されたかを確認する。購入した容器の洗浄・殺菌法は汚染防止に直結するので，SOP，洗浄・殺菌の判定基準を確認する。また，液体の中間体・原薬・製品では，容器の吸脱着と容器からの溶出に関して評価したかを確認する。

　中間体等の保存容器では容器の再利用が行われているが，現場での洗浄法の確認と，倉庫等で再利用容器の表示の完全除去・表記の抹消が行われているかを確認する。表示が残っている状態では混同のリスクが残るからである。

リスク・観察事項例

- 容器の適格性が評価されていない場合は，リスク・観察事項である。
- 再利用容器に前の表示が残っている場合は，混同のリスク・観察事項である。

9.3 ラベルの発行及び管理

9.30 ラベルの保管区域への出入りは，許可された従業員に限定すること。

9.31 ラベルの発行，使用及び返却の数量を確認し，ラベルを貼付した容器数と発行したラベル数との間に不一致が生じた場合には，これを評価すること。この不一致については調査を行い，その調査は品質部門により承認を受けること。

9.32 ロット番号又はロットに関連するその他の印刷が入った余剰ラベルはすべて破棄すること。返却ラベルは，混同を防止し，適切な確認を行い得る方法で保管すること。

9.33 旧版及び期限切れのラベルは破棄すること。

9.34 包装作業用のラベルの印刷に用いる印刷機は，すべての印刷の結果がロット製造指図・記録での規定に適合するように管理すること。

9.35 ロット用に発行した印刷ラベルは，製造指図書原本の規格に適合し，適切に表示していることを注意深く検査すること。この検査の結果は記録すること。

9.36 使用したラベルの代表となる印刷ラベルをロット製造指図・記録に添付すること。

監査の視点

照査する文書例：①表示材料（ラベル）の発行SOP，②ラベルの発行記録，③製造記録へのラベルの添付，④ラベル印刷機のSOP

質問例
- マスターのラベルは誰が承認し，保管しますか？
- 包装に使用されるラベルはマスターラベルを用いて複製され，マスターラベルと同一であることを検証していますか？ 検証した記録を示してください。
- ラベルの印刷・複製の作成記録を示してください。
- 使用したラベルの1枚は，製造記録に証拠として添付されていますか？
- いかなるラベルも，使用不可にする処置をせずに廃棄していませんか？

 ## 監査のポイント

　ラベル管理は，偽薬問題で注目され重要な工程管理となり，監査でも必ず確認する事項である。その目的は，①間違ったラベルが印刷されること，②正規のラベルが悪用されることを防ぐ点にある。このため，ラベルの発行と数量管理が，監査において確認事項となる。多くの製造所は，マスターラベルは品質部門が管理保管しており，必要に応じマスターから印刷する。このときのマスターからの印刷で，混同がどのように防がれているかを確認する。ラベルの数量管理は，発行数，添付数，返却数，破損数を厳格に管理しているかを確認することが必要である。紛失したラベルが発生した際の処理方法がSOPにまとめてあるかも確認する。

Check リスク・観察事項例

- マスターのラベルを品質部門が管理していない，管理体制に不備があれば，偽薬の製造・混同のリスク・観察事項となる。
- 発行したラベルの数量管理が適切でなく，不足のラベルを調査するSOPがない場合も偽薬の製造・混同のリスク・観察事項となる。
- 記録書に，容器に添付したラベルの1枚が添付されていない場合は，データ・記録の完全性のリスク・観察事項となる。

9.4 包装作業及び表示作業

9.40 正しい包装材料及びラベルの使用を保証する手順書を備えること。

9.41 表示作業は混同を防止するように配慮すること。また,他の中間体・原薬の表示作業から物理的又は空間的に分けること。

9.42 中間体・原薬の容器に用いるラベルには,名称又は識別コード,製品のロット番号を,及び,保管条件が当該中間体・原薬の品質を保証するのに重要な情報である場合は当該保管条件を記載すること。

9.43 中間体・原薬を製造業者の管理外へ移動しようとする場合には,当該製造業者の名称及び住所,内容量及び特殊な輸送条件並びに全ての法的要件をラベルに記載すること。使用期限のある中間体・原薬の場合には,使用期限をそのラベル及び試験成績書に記載すること。リテスト日が定められた中間体・原薬の場合には,リテスト日をラベル又は試験成績書に記載すること。

9.44 包装・表示設備を使用直前に点検し,次回の包装作業に不必要な全ての原材料等が除去されていることを確認すること。この点検について,ロット製造指図・記録,設備日誌又はその他の記録システムに記録すること。

9.45 包装・表示済みの中間体・原薬を検査して,そのロットの容器及び包装が正しく表示されていることを保証すること。この検査は包装作業の一部として行うこと。この検査結果はロット製造指図・記録又は管理記録に記録すること。

9.46 製造業者の管理外へ輸送する中間体・原薬の容器は,封緘が破れた,又は,失われた場合,内容物が変っているおそれがあることを受取人に警告するような方法で封緘すること。

監査の視点

照査する文書例:①包装記録書,②ラベル仕様書,③出荷試験(包装後の品質試験)記録,④包装ラインの洗浄記録,⑤ライン洗浄バリデーション,⑥教育訓練記録,認定記録

質問例
- 混同防止のために十分な物理的空間(隔壁)を設けていますか? 何メートルですか?
- 中間体,原薬,製品は適切な表示がなされていますか?
- ラインクリアランスはどのようにして行いますか? 湿式ですか乾式ですか?
- 乾式の場合,どのようにして二次汚染を防止しますか?
- 包装後,どのように仕様との整合性を確認しますか?

- 確認結果は記録しますか？
- ラベルには必要な事項（有効期限，輸送上の注意，保管条件等）が記載されていますか？
- 容器には，開封等の不正があれば明瞭にわかるような措置が講じられていますか？

監査のポイント

　包装・製品ラベルの工程は，混同が起きる可能性が高い。このため，監査では厳密な運用がされているかの確認を行う。包装に関するSOPが整備され，教育訓練がなされているかを確認する。混同を防止する目的で，包装区域は十分な物理的空間・隔離区間があるか，または物理的障壁が準備されているかを現場で確認する。ラベルには，受領側に必要な情報提供がなされているかを確認する。

　包装ラインのクリアランスの手順を確認する。特に，クリアランスが乾式か，湿式かを確認する。乾式の場合は圧縮空気での洗浄法が多いので，拡散した物体の回収法，二次汚染防止法を確認する。

　包装検査で排除された個体の再検査方法と排除された個体の処理法を確認する。特に，排除品が適合品と混同されない場所に隔離保管することと，排除された個体をラインに戻すときには，排出された以前の場所に戻すことが行われているかを確認する。これは，未確認の排除製品の混同を防止するリスクの低減手段がとられているかの確認である。

　包装工程では，包装の一貫性，表示の正確性と密封性（seal）の確認が求められるので，その検査方法が有効に機能しているか，チャレンジテスト（わざと不適合品を検査する）を行い，機能の健全性を確認する手法がとられているかを確認する。

リスク・観察事項例

- 包装区域が十分な混同防止の物理的障壁（間隔・空間，パーテーション）を有していない場合，資材置き場・ラインの配置等の混同防止策が講じられておらず，混同の可能性が排除できない場合は混同・交叉汚染のリスク・観察事項である。
- 包装ラインクリアランスにおいて，ドライ洗浄等の二次汚染防止がなされていない場合は，交叉汚染のリスク・観察事項になる。
- 排出，不適合品の再検査の手法が適切でない，区分保管が適切でない場合は，混同・不適合品出荷のリスク・観察事項である。

10

保管及び出荷

10.1 保管作業

10.10 全ての原材料等を適切な条件（例えば，必要な場合には管理された温度及び湿度）で保管できる設備を備えること。当該条件が原材料等の特性の維持のために重要な場合には，当該条件の記録を保存すること。

10.11 区分保管され，不合格判定を受け，返品され，又は回収された原材料等については，目的外又は未許可の使用を防止するための代替システムがない限り，今後の使い方を決定するまでの一時保管用の分離した保管区域を設けること。

監査の視点

照査する文書例：①倉庫のフロアプラン，②倉庫の管理基準，環境モニタリング方針，③倉庫温度マッピングとホットスポットの図面

質問例
- 倉庫の管理温度範囲を示してください。
- 室温は記録していますか？
- 管理範囲を逸脱したならばどのように処理しますか？
- 地面・床からの湿度は防いでいますか？
- 不適合原材料は区分保管していますか？
- 誤用がないように十分な保全措置がなされていますか？
- 製品の倉庫は，特別に許可された人員のみが入室可能なように管理されていますか？

監査のポイント

　原材料は適切な温度管理が品質の劣化の防止のために必要である。また，湿度管理，遮光等の管理が必要な原材料もある。このため，製造所が適切に原材料を保管管理しているかを確認する。さらに環境モニタリングを実施して管理基準を設け，逸脱していないことを確認，品質の低下を防止しているかを確認する。

　混同防止の観点からは，不適合と判定された原材料が誤って使用されない，出荷されないように防護策が講じられているかを確認する。特に不適合品は，施錠できる隔離された区域に保管することが要求される。不適合品が誤使用されないように，適切に隔離保管されているかを確認する。

　施錠等で倉庫が管理され，悪意のある工場内外の非関係者が立ち入れないように管理されていることが必要である。電子キーで管理されている場合，アクセスログを定期的に照査して不正な入場がないかの確認が求められる。

Check リスク・観察事項例

- 保管倉庫が原材料のステータスに即して分離保管されていない場合，特に検査中と適合品が混在する場合は，不適合原材料が使用される重大なリスク・観察事項になる。
- 不適合品が誤使用防止の手段が施されずに保管される場合は，不適合原材料が使用されるリスク・観察事項となる。
- 倉庫の温度マッピングが行われておらず，管理基準が設けられていない場合は品質低下のリスク・観察事項になる。

10.2 出荷作業

10.20 原薬・中間体は品質部門による出荷承認後のみ第三者への流通用に出荷すること。

　なお，品質部門により許可を受け，適切な管理及び記録を備えている時には，区分保管中の原薬・中間体を，自社の管理下にある他の部門に移動させる場合がある。

10.21 原薬・中間体は，その品質に悪影響を及ぼさない方法で輸送すること。

10.22 原薬・中間体の特殊な輸送条件・保管条件はラベルに記載すること。

10.23 製造業者は，原薬・中間体の輸送業者が適切な輸送条件及び保管条件を承知し，従うことを保証すること。

10.24 出荷する中間体・原薬について，各ロットの回収の決定が速やかに行える体制を備えること。

 ## 監査の視点

照査する文書例：①出荷判定SOP，②輸送のSOP，③ロットの追跡記録，④回収の訓練記録

質問例
- 出荷手順を示してください。
- 原薬，製品の品質に影響を及ぼさない適切な条件で輸送されますか？
- 輸送条件をモニターして，品質への影響が最小限であることを示してください。
- 輸送会社は適切な保管，輸送条件を保証していますか？
- 回収の訓練はしていますか？

 ## 監査のポイント

PIC/SにおいてGDP（Good Distribution Practice）が示されるようになった。日本においても医薬品の適正流通（GDP）ガイドラインが2018年12月28日に発出されている。しかしながら，製造所から顧客までの輸送に関して条件等を定めている例もある。基本的には，輸送時のリスクをいかに最小化するかである。リスクとは，温度，湿度，光，振動，気圧等の環境的リスクと，落下，圧迫等の機械的なリスク，盗難・すり替え等の悪意的リスクがあげられる。これらのリスクに対して，防御策をいかに施しているかを確認する。

その対策の1つに，医薬品の流通業務経験のある輸送業者を起用することがあげられる。このため，製造所の輸送業者の選定，評価基準を確認する。不測の事態に備えるためには出荷記録の整備が必要であるが，この記録は，監査時，製造所の営業情報となるので開示は求めない。整備状況を確認する。

リスク・観察事項例

- 出荷判定を品質部門が行っていない，手順が整備されていない場合は，不適合品出荷の可能性がある重大なリスク・観察事項になる。
- 輸送に適切な輸送条件を提供する輸送業者を選定していない，またはリスクが算定できない混載での輸送を行っている場合は，流通過程での偽薬混入のリスク・観察事項になる。

試験室管理

> **11.1 一般的管理**
> 11.10 独立した品質部門は，当該品質部門が必要に応じて自由に使用できる適切な試験設備を有すること。

 ## 監査の視点

照査する文書例：①GMP組織図，②敷地内配置図，③品質試験室平面図

質問例
- 品質試験室の平面図を示してください。
- 月単位，日単位で何件の試験を行いますか？
- 試験者は何名ですか？
- 十分な空間，試験場所はありますか？
- 検査項目を分析する分析機器は備えていますか？
- 所有している分析機器で対応できない場合は，その項目は委託するのですか？

 ## 監査のポイント

　品質試験部門は，製造部門・営業部門から独立した組織であらねばならない。また試験室・施設は，製造・研究部門と共用であってはならない。まずはこの2点を確認する。さらに規格試験を行うための試験機器を有していなければならないが，品質試験を外注して品質部門が縮小されている例がある。しかし，品質試験を外注・委託した場合でも委託先から得られた試験結果を照査・検証する機能は必要であるため，品質部門の機能・責任を確認する。

>
> ### リスク・観察事項例
>
> - 品質部門が製造・営業部門等から独立していない場合は，品質検査の判定に作為的な行為が行われる重大なリスク・観察事項になる。
> - 品質部門がQMSの維持に必要な機能・人員・人材を有していない場合は，適正な品質管理・保証ができず，誤って不適合品を出荷する可能性のある重大なリスク・観察事項である。
> - 品質試験を実施する設備が，製造・研究開発部門と共用であり，試験内容・機器の使用を分離できない場合，品質試験の独立性に懸念が生じ観察事項になる。
> - 施設の面積が十分でない，試験台が狭い，試験に関係しないものが数多くみられる場合は，混同，交叉汚染のリスクが認められ，観察事項となる。

11.11 検体採取，試験，原材料等の合否判定及び試験室データの記録・保管について記述した手順書を備えること。試験室の記録は，第6.6章に基づき，保管・管理を行うこと。

監査の視点

照査する文書例：①文書管理SOP，②試験記録様式（ラボノート，スプレッドシート，LIMS）

質問例
- 試料の採取，品質試験の実施，評価，記録の手順を示してください。
- ラボノート，スプレッドシート，LIMSのいずれを使用して記録していますか？

監査のポイント

試験記録は，統一した記録様式であることが望ましいため，あらかじめ統一様式を制定しておくことが要求されている。監査では，試験の記録様式が定められており，試験者が忠実・正確に記録していることを確認する。

リスク・観察事項例

- 記録の様式を含めた手順が備わっていない場合は，データインテグリティ上のリスク・観察事項である。

11.12 全ての規格，検体採取計画及び試験方法は，原材料，中間体，原薬，ラベル及び包装材料が設定した品質及び純度の基準に適合することを保証するために，科学的であり，かつ，適切なものであること。規格及び試験方法は，承認申請の内容と一致すること。ただし，承認申請の内容以外に，さらに規格を追加する場合がある。
全ての規格，検体採取計画及び試験方法は，それらの変更を含めて，適切な部署が起案し，品質部門が照査し，承認すること。

11.13 原薬に関する規格は，承認された基準に従って設定し，製造工程と整合化していること。規格には，不純物（例えば，有機不純物，無機不純物及び残留溶媒）の管理に係る項目を含めること。なお，微生物学的純度の規格が定められている場合には，生菌数及び特定微生物の適切な管理値を設定し，適合させること。また，エンドトキシンに関する規格が定められている場合には，適切な管理値を設定し，適合させること。

監査の視点

照査する文書例：①試験法の記載された手順，記録様式，②開発経緯文書（規格，サンプリング手法設定の妥当性），③承認（申請）事項と製品仕様書

質問例

- 試験室で用いられる試験法は妥当性がありますか？　その根拠を示してください。
- 用いられる試験法は，中間体・原薬・製品への品質的影響を適切に検出できる方法ですか？　その根拠を示してください。
- 試験法は，承認規格の適合を保証できる方法ですか？
- 承認された品質検査項目以外で，品質保証するために制定された規格・試験方法はありますか？
- 試験用の試料の採取法は，試料全体を代表することを保証しますか？　その根拠を示してください。
- 規格項目には，中間体・原薬・製品の安全性に影響を及ぼす不純物が含まれていますか？　その規格項目は，リスクに基づいて制定されましたか？
- 微生物・エンドトキシンの規格値はリスクに基づいて設定されましたか？

監査のポイント

　承認書に記載されている規格及び試験方法と製造所で運用されている規格及び試験方法に差異がないことを確認する。可能であれば，開発経緯文書で規格及び試験方法の設定の妥当性を確認できると好ましい。サンプルの採取方法は，検証され，対象となる試料全体を代表できることを検証して設定されたかを確認する。

　規格に関しては，安全性のリスク評価として，不純物プロファイルが求められる。近年，不純物は，古典的なTLC法を用いての不純物の確認から，クロマトを用いての分析への変更が推奨されている。重金属に関しても，従来の比色法からIPC等の機器分析に移行する傾向にあるため，製造所の対応を確認する。微生物学的純度に関しては，科学的根拠をもって，閾値を設定していることを確認する。

リスク・観察事項例

- 承認書に準拠して，規格及び試験方法が運用されていない場合は，不適合製品を出荷する可能性のある重大なリスク・観察事項である。
- 規格及び試験方法が薬局方に記載されておらず，その設定が科学的根拠に基づかず，または文書に残されていない場合は不適合製品を出荷する可能性のある重大なリスク・観察事項になる。
- 原薬・製剤の不純物プロファイルが制定されていない，もしくは制定された不純物プロファイルが照査されない，遵守されていない場合は，患者の安全性上のリスクから重大な観察事項になる。

11.14 試験室管理は，手順に従って行い，実行した時点で記録を行うこと。手順からの逸脱は全て記録し，明らかにすること。＜逸脱管理参照＞

 ## 監査の視点

照査する文書例：①文書管理SOP，②逸脱SOP，③逸脱のログブック，④試験室の試験記録様式（ラボノート，スプレッドシート，LIMS）

> **質問例**
> - 試験記録は手書きですか？ 自動化していますか？
> - すべての記録は遅延なく記録されますか？
> - 試験室での逸脱処理手順を示してください。

 ## 監査のポイント

　試験の方法，結果，結果算出の計算式，秤量結果，種々の分析機器のチャートが，個々の試験ごとにまとめられ，正確に転写されていることを確認する。このとき，結果が後からまとめての記入ではなく，個々の試験ごとに順次記録されていることを確認する。機器に備わっているオーディットトレイル機能，記録紙の試験時刻を確認し，順次記録が行われていることを確認する。LIMS等を使用している場合は，オーディットトレイルを確認する。

リスク・観察事項例

- 試験法と記録紙の記述に差異がある場合はトレーサビリティのリスク・観察事項である。
- 試験実施と記録した時間に差異が認められた場合は，データインテグリティ上のリスク・観察事項である。

11.15 全ての規格外試験結果の値について，手順に従って調査し，記録すること。この手順には，データの分析，重要な問題の有無の評価，是正措置の作業分担及び結論が含まれること。規格外試験結果の値が得られた後の検体の再採取や再試験は，文書による手順にしたがって実施すること。

 ## 監査の視点

照査する文書例：①OOSのSOP，②OOSのログブック，③OOSの記録書，④CAPAのSOP

> **質問例**
- OOSの処理手順を示してください。
- OOSの調査の結果，ラボエラーが見つかったら試験結果は棄却しますか？
- ラボエラーが確定すれば，CAPAが行われる前に再試験を開始しますか？
- 再サンプリングは品質部門の承認が必要ですか？
- 類似のOOSが繰り返されるときの対処方法を示してください。

監査のポイント

　OOSは出荷試験に大きな影響を及ぼし，品質確保において多大なリスクとなるため，監査においては重点的に確認すべき事項の1つである。OOSが発生後，安易に再試験，再サンプリングを行うことは認められていない。また，試験数とOOSの発生数を比較し，試験数に対してOOSの報告が少ない（200試験に対して1件程度のOOSは発生することを念頭におく）場合，または極端に多い場合は，OOSを適切に扱っていないか，試験室が適切に検証管理されていないことが考えられるので，注意して資料を確認する。監査の手法としては，FDAが示しているOOSの処理手順に製造所のOOS手順が準拠しているかを確認することが基本となる。

FDAが示しているOOSの処理手順

（1）OOSの報告
- 規格外の試験結果をQCの監督者に連絡。
- 試験に使用した試料液の確保，試験サンプルの保留指示。

（2）OOSの調査

　規格外結果（OOS＝品質不合格）を確定する前に，試験に誤りがなかったことを確認するためにラボエラー調査を実施する。OOS発見者は，QCの監督者とともに，チェックリストに従い，分析手順，分析機器，調製液，手順書の自己点検を行い，必要に応じ，確保された試料溶液の再注入・再測定を行う。ラボエラーが発見されなければ，追試験に移行し，ラボエラーが発見されれば，試験結果を棄却して逸脱処理・原因調査を行う。

（3）追試験

　別の担当者を起用して同サンプル（調製済み）を用いて試験を行う。その際，OOSを発見した試験者に同時に試験をさせることは認められる。追試験でエラーが発見されなければ，再試験に移行する。追試験でOOSが確認されず，もしくはエラーが発見されれば試験結果を棄却し，逸脱処理・原因調査を行い，必要に応じてCAPAを実施する。

(4) 再試験:試験方法の確認と室間差の確認

別のQC分析担当者(好ましくは2名以上)が,同一のサンプルを再調製して試験する。再試験でラボエラーがないことが確認されたならば,品質保証部門が不適合・逸脱調査を行う。追試験でOOSが確認されず,もしくはエラーが発見されれば試験結果を棄却し,逸脱処理・原因調査を行い,必要に応じてCAPAを行う。

(5) 再サンプリング

サンプリングに不備が推定される,もしくは再試験に必要なサンプル量がない場合に限り,品質保証責任者の承認を必須とする。

(6) OOS総合調査:不適合・逸脱調査

再試験と並行し総合調査,原料,工程等を照査し,逸脱有無とOOSの原因調査を行う。

(7) 工程

以下の情報を照査すること。
- 製造記録,包装記録
- 逸脱の有無
- 作業者の適格性・認定,教育訓練記録
- 変更管理の有無,実施確認
- 機器の適格性,校正の適合性
- 環境モニタリングのOOS/OOTの確認

原材料などは次の情報を照査すること。
- 名称,ロット番号,毒物,劇物・普通物の区分
- 力価または濃度(該当する場合)
- 有効期限(該当する場合)
- リリース試験結果
- 開封日
- 保管条件(該当する場合),原材料の保存状態は適切か
- 毒物または劇物に該当する原材料の管理は適切か(鍵のかかる専用の保管庫,保管庫への表示,出納記録,廃棄処理等)
- ベンダーの認証

> **Check リスク・観察事項例**
>
> - 試験の実施において逸脱が認められた場合，CAPAの承認等が行われた後に，再試験が実施される手順になっていない場合は，再度同様の逸脱が発生する可能性があり，安易に再試験で適合判定をする可能性があるコンプライアンス上のリスク・観察事項となる。
> - 重大なサンプリングの逸脱等がないのにもかかわらず再サンプリングが行われている場合は，安易に再試験で適合判定をする可能性があるコンプライアンス上の重大なリスク・観察事項になることがある。
> - OOS処理手順で，試験法，試験者の技能，原材料を含む製造工程すべてを対象としていない，また局所的な調査しかしていない場合は，観察事項になる。
> - OOSの処理（調査，原因追及，CAPA）を行わずに再試験を行っている場合は，再度同様の逸脱が発生する可能性があり，安易に再試験で適合判定をする可能性があるコンプライアンス上の重大なリスク・観察事項になる。

11.16 試薬及び標準品は，文書化された手順にしたがって，調製され，表示されること。使用期限の日付は，分析試薬及び標準溶媒からみて適切に設定されること。

監査の視点

照査する文書例：①試薬管理基準，②試薬添付ラベル，③試薬保管庫の実地確認，④試薬保管リスト，MSDS

[質問例]
- 試薬には独自のラベルが添付されていますか？
- ラベルの記述内容を示してください。
- 開封前・開封後の使用期限はどのように定めていますか？
- 期限設定の根拠を示してください。

監査のポイント

　品質試験室で使用する試薬は，多くは限られた大手の試薬メーカーから調達しているので，供給者（ベンダー）の管理は必要ではなく，特に要求されていない。しかし，品

質試験の結果は，使用する試薬の品質の影響を受けるため，品質が安定であることを示す使用期限に関して，科学的根拠に基づいて決定されることが要求される。試薬メーカーの設定した使用期限を未開封の試薬の使用期限として設定することは認められる。しかし多くの試薬には，使用期限が記されていないので，各製造所は独自で設定する必要がある。期限に関しては，それぞれの化学物質の安定性，特性の情報に基づいて設定することが要求項となり，これを確認することとなる。さらに開封後の使用期限と未開封の使用期限は本質が異なり，その実情に基づいて期限管理しているかを確認する。

Check リスク・観察事項例

- 試薬に独自にラベルを添付して期限管理等を行っていない場合は，試薬の混同，不適合の試薬を使用する可能性があるリスク・観察事項となる。
- 保持試薬リストとその保管条件を管理していない場合は，試薬の混同や目的外に試薬が使用される可能性のあるリスク・観察事項もしくは推奨事項である。
- 開封後の保管期限を科学的根拠に基づいて定めていない場合は，試薬の品質低下をまねくおそれのあるリスク・観察事項となることもある。

11.17 一次標準品を原薬の製造用に適切に入手すること。各々の一次標準品の入手先を記録すること。供給者の勧告に基づき，各々の一次標準品の保管及び使用記録を保存すること。公式に認定を受けた供給元から入手した一次標準品は，当該標準品が供給者の勧告と一致する条件で保管される場合には，通常，試験を行わずに使用に供する。

11.18 一次標準品が公式に認定を受けた供給元から入手できない場合には，「自家製一次標準品」を設定すること。一次標準品の同一性及び純度を完全に確立するために適切な試験を実施すること。この試験の適切な記録を保存すること。

11.19 二次標準品については，適切に調製し，確認し，試験を行い，承認し，及び保管すること。二次標準品のロットごとの適合性は，初回使用前に一次標準品と比較することにより判定すること。二次標準品はロットごとに，文書化した方法に従って，定期的に再認定すること。

監査の視点

照査する文書例：①標準品の管理SOP，②保管庫の実地確認，③標準品のリスト

|質問例|
- 保管している標準品のリストを示してください。
- 保管条件・有効期間等が記録されていますか？
- 一次標準品の入手源は特定できますか？　CoAは保持していますか？
- USPの標準品は有効性を確認していますか？
- 二次標準品を使用していますか？
- 二次標準品の検定方法を示してください。
- 冷蔵，冷凍標準品の馴化（温度）ストレスは検証していますか？

 ## 監査のポイント

　標準品は品質を決める重要な化学物質のため，公的な機関より入手して使用する。保管，保存期間は公的機関の指定に従う。USPの標準品は，USPのホームページにCoAが掲載されているが，CoAの掲載が引き下げられた標準品のCoAは有効でなくなるので，定期的にUSPのホームページを確認するSOPになっているかを確認する。

　一般に製造所は，公的機関より入手した標準品に代えて，自家調製の二次標準品（working standard）を用いていることが多い。この二次標準品の検定方法を確認する。二次標準品が一次標準品を用いて検定していること，二次標準品の有効期限が科学的に妥当な期間になっていることを確認する。

　冷凍を保存条件とする標準品については，常温に戻して使用するにあたり温度ストレスを考慮しているか（小分け，使いきり包装など）を確認する。

Check リスク・観察事項例

- 公的な標準品が供給されているにもかかわらず,標準品を用いて試験検査を行っていない場合は,法的根拠を欠くコンプライアンス上のリスク・観察事項になる。
- 二次標準品が一次標準品を用いて検定されていない場合は,品質試験の科学的・法的根拠を欠くコンプライアンス上のリスク・観察事項となる。
- 一次標準品の保管条件が冷凍である場合,解凍・冷凍のストレス試験を行って標準品の安定性が確かめられていない場合は,標準品の品質低下の可能性があるリスク・観察事項になる。
- 二次標準品の有効期限を一次標準品と同じに設定する場合,科学的根拠が提示されないならば,コンプライアンス上のリスク・観察事項になる。
- USPより入手している標準品の有効期限を確認していない場合は,コンプライアンス上のリスク・観察事項もしくは推奨事項になる。

11.2 中間体・原薬の試験

11.20 中間体・原薬は,ロットごとに,適切な試験を行い,規格に適合していることを判定すること。

11.21 一定に管理された製造工程で製造された代表的なロットに存在する,同定済み及び未同定の不純物を記述した不純物プロファイルを,通常,原薬ごとに設定すること。不純物プロファイルには,同定,幾つかの定性的な分析指標(例えば,保持時間),認められる各不純物の範囲及び同定されている不純物の分類(例えば,無機,有機,溶媒)が含まれる。不純物プロファイルは,通常,原薬の製造工程及び起源によって決まる。不純物プロファイルは,通常,生薬又は動物組織由来の原薬には必要ではない。バイオテクノロジーを用いた場合については,ICH Q6Bガイドラインに記載されている。

11.22 不純物プロファイルは,原料,装置運転パラメータ又は製造工程の変更によって生ずる原薬の変化を検出するために,当局へ提出した不純物プロファイルと適切な間隔で比較するか,あるいは,過去のデータと比較すること。

監査の視点

照査する文書例：①試験実施SOPもしくは試験法SOP
質問例
- 中間体・原薬・製品のロットごとに品質試験を行い，規格適合性を確認しますか？
- 規格適合試験には，不純物プロファイルの照査が含まれますか？
- 不純物プロファイルのマスターを保持していますか？
- この不純物プロファイルは，原薬ごとに同等性検証のために用いられますか？
- 新規の不純物が検出された場合の手順を示してください。
- 年次照査等で不純物プロファイルの頑健性は照査されますか？

 ## 監査のポイント

　当然のことながら，中間体，原薬，製品は，ロットごとに定められた品質規格に適合しているかを評価するために，決められた試験法に基づいて試験・評価することが要求・規定されている。試験結果は，認定された評価者によって適合，不適合を判定される。監査では，この手順が適切に行われたかを記録を照査して確認する。

　中間体，原薬，製品の品質・安全性の均一性を確認する要点に，不純物プロファイルの同等性，トレンド分析が必要となる。この不純物プロファイルの制定と，変更管理時に一定の間隔（たとえば年次）の変化がないことを，標準不純物プロファイルと比較して確認しているかが，監査での確認事項となる。

リスク・観察事項例

- 試験が手順通りに行われずに，承認されたときは，不適合品が出荷される可能性のあるリスク・観察事項となる。
- 不純物プロファイルが策定されていない場合は，安全性上の重大なリスク・観察事項となる。
- 変更管理のとき，年次照査で不純物プロファイルの同等性が評価されていないときは，観察事項である。

11.23 微生物学的品質が特定されている場合には，中間体・原薬の各ロットについて適切な微生物学的試験を実施すること。

監査の視点

照査する文書例：①微生物試験のSOP（エンドトキシンを含む），②培地の性能確認試験結果，③微生物試験の結果，試験ログブック

質問例
- 微生物試験は省略なく実施されていますか？
- 実施前に培地性能確認試験を実施しますか？
- ロットごと，試験ごとに性能確認試験を行いますか？
- 製造施設の衛生上の懸念がある場合，貴社は病原性微生物の混入防止を保証しますか？

監査のポイント

　微生物の発生・汚染は突発的に起こる可能性があることを監査員は念頭におき，各ロットにおいて微生物試験が実施されていることを確認する。安易な微生物試験省略は容認されず，特に微生物試験を要求されている中間体，原薬は，無菌性が要求される製品として患者への影響が懸念される。微生物試験に用いられている培地の性能試験が適切な間隔，たとえば試験ごと，培地のロットごとなど常時確認されていることを確認する。

リスク・観察事項例

- 微生物試験が各ロットで行われなかった場合は，安全性上の重大なリスク・観察事項である。または，微生物汚染等の影響を鑑みて，監査はこの時点で中断することも考慮する。
- 汚染が懸念される環境下にありながら，自主的に微生物試験を行っていないことは，リスク・観察事項となる。

11.3 分析法のバリデーション－第12章参照
11.4 試験成績書

11.40 求めに応じて，中間体・原薬の各ロットに係る真正の試験成績書を発行すること。

11.41 中間体・原薬の名称に関する情報は，必要に応じて，グレード，ロット番号及び出荷判定の日付を含めて，試験成績書に記載すること。使用期限を有する中間体・原薬の場合には，当該使用期限をラベル及び試験成績書に記載すること。リテスト日を有する中間体・原薬の場合には，リテスト日をラベル又は試験成績書に記載すること。

11.42 試験成績書には，公定書又は顧客の要件に従って実施した各試験を，規格値及び得られた数値結果（試験結果が数値である場合）を含めて表示すること。

11.43 試験成績書には，品質部門の者が日付を記入し，署名するとともに，製造業者の名称，住所及び電話番号を記載すること。分析を再包装業者又は再加工業者が行った場合には，試験成績書には，当該再包装業者又は再加工業者の名称，住所及び電話番号並びに参考として製造業者の名称を記載すること。

監査の視点

照査する文書例：①試験成績書（CoA），②CoAの作成SOP
質問例
- CoAの発行手順を示してください。
- CoAに記述する項目を示してください。
- CoAは顧客の要求で記述項目が決められますか？ 基本項目に追加するのですか？
- CoAを承認する前に元のデータと比較，照合しますか？

監査のポイント

　CoAに必要事項が記入されていることを確認する。可能であれば，CoAと元の品質試験結果を比較し，同等であることを確認する。また，品質部門の承認が行われていることを確認する。CoAには，必要事項（製造所名，住所，ロット番号，保管条件，使用期限等）が記述されていることを確認する。

　分析を再包装業者または再加工業者が行った場合には，CoAの発行責任を示すために再包装業者または再加工業者の名称，住所および電話番号ならびに参考として製造業者の名称が記載されていることを確認する。

リスク・観察事項例

- CoAに必要事項が欠落している場合は観察事項となる。特に品質部門の承認，使用期限，製造者の詳細な情報が欠落している場合は，重大な観察事項になる。
- 再包装業者または再加工業者が発行するCoAに，再包装業者または再加工業者の名称，住所および電話番号ならびに参考として製造業者の名称が記載されていない場合は，重大な観察事項になる。同時にGMPより逸脱していることになる。

11.43 試験成績書には，品質部門の者が日付を記入し，署名するとともに，製造業者の名称，住所及び電話番号を記載すること。分析を再包装業者又は再加工業者が行った場合には，試験成績書には，当該再包装業者又は再加工業者の名称，住所及び電話番号並びに参考として製造業者の名称を記載すること。

11.44 再包装業者・再加工業者，代理店又は仲介業者が独自に試験成績書を発行する場合には，当該試験成績書には，分析を行った試験室の名称，住所及び電話番号を記載すること。また，参考として，製造業者の名称及び住所を記載するとともに，元のロットの試験成績書の複写を添付すること。

監査の視点

照査する文書例：①原薬・原材料のCoA
質問例
- CoAの発行手順を示してください。
- 元の製造所が発行したCoAを引用して，独自のCoAを発行していますか？

監査のポイント

　この条項は，製造所は購入する原薬，原材料の製造元を明らかにせねばならないことに由来する。GMPでは，承認されたベンダー・製造所より，制定された規格に適合した原薬・原材料を購入することになっている。その流通の過程で，再包装業者・再加工業者，代理店が介在して，新たなCoAが発行され，新たな包装形態に変更されるケースがある。この再包装業者，再加工業者，代理店の介在で，品質等に影響が出る可能性が排除されないので，必ず元の製造者の発行したCoAの添付が要求される。また，購入する

製造所は，元のCoAの確認が要求される。監査の際，製造所は再包装業者，再加工業者，代理店または仲介業者が発行したCoAが元のCoAに則っていること，製造元が承認されたベンダー・製造所であることを確認・承認しているかを確認する。

> **Check ✓ リスク・観察事項例**
>
> ● 製造所が，再包装業者，再加工業者，代理店または仲介業者が発行したCoAが元のCoAに則っていないこと，製造元が承認されたベンダー・製造所であることを確認・承認していない場合は，重大なリスク・観察事項になる。

11.5 原薬の安定性モニタリング

11.50 文書化された実施中の安定性試験プログラム（安定性評価及び確認を含む。）は，原薬の安定性特性をモニタリングするように設計されていること。また，その結果は，適切な保管条件及びリテスト日又は使用期限を確認するために用いること。

11.51 安定性試験に使用する試験手順は，バリデーションが行われたものであり，安定性を評価できるものであること。

11.52 安定性用の検体は，販売用に用いる容器と同等な容器に保管すること。例えば，原薬をファイバードラム内の袋に入れて販売する場合には，安定性用検体は同じ材質の袋及び材質の組成が販売用のドラムと同等又は同一の小スケールのドラムに入れること。

11.53 通常，リテスト日又は使用期限を確認するために，最初の市販用3ロットを安定性のモニタリングプログラムに用いること。ただし，それまでの研究データにより原薬が少なくとも2年間安定であることが予測されている場合には，3ロットより少ないロット数を用いる場合がある。

11.54 その後，生産した原薬について，少なくとも年1ロット（その年に製造がない場合を除く）を安定性モニタリングプログラムに用い，また，安定性を確認するために少なくとも年1回試験を行うこと。

11.55 有効期間が短い原薬については，試験を更に頻繁に行うこと。例えば，有効期間が1年以下の，バイオテクノロジー原薬，生物由来原薬及びその他の原薬については，安定性用検体を採取し，最初の3カ月間は毎月試験を行い，その後は3カ月間隔で試験を行うこと。原薬の安定性が低下しないことを確認できるデータが存在する場合には，特定の試験間隔（例えば9カ月試験）の削除を考慮する場合がある。

11.56 必要な場合には，保存条件は，ICHの安定性に係るガイドラインの規定によること。

11.6 使用期限及びリテスト日

11.60 中間体を製造業者の管理外へ移動させようとする場合であり，当該中間体に使用期限又はリテスト日を適用する場合には，安定性を裏付ける情報（例えば公表データ，試験結果）が活用できるようにすること。

11.61 原薬の使用期限又はリテスト日は，安定性試験から得たデータの評価に基づいていること。一般的通例としては，使用期限ではなくリテスト日を使用する。

11.62 以下の場合には，原薬の予備的な使用期限又はリテスト日の設定をパイロット規模のロットに基づき行う場合がある；(1) パイロット規模のロットが，販売用の実生産規模において使用する最終的な工程と同等な製造方法及び手順を用いている；かつ，(2) パイロット規模のロットの品質が販売用の規模で生産するものを表していること。

11.63 リテストを行うために，代表的な検体を採取すること。

監査の視点

照査する文書例：①安定性試験の基準書・方針，②安定性試験のプロトコール，報告書，③年次の安定性試験実施計画書と実施記録

[質問例]

- 安定性試験のマスタープラン，安定性試験の実施基準を示してください。
- 安定性試験結果に基づき，保管条件，使用期限・リテスト日が制定されたことを示す文書を示してください。
- 安定性試験のマスタープランには，中間体，原薬，製品，バルクそれぞれが含まれていますか？
- 保存安定試験器のバリデーション，温度分布検証は行いましたか？　また，再バリデーションはどの頻度で行いますか？
- 保存安定試験器は予備電源を有していますか？
- 試験計画は，ICH Q1に準拠していますか？
- 試験計画は気候帯を考慮して立案されていますか？
- 試験計画はリスクを考慮していますか？　たとえば使用期間が1年未満の原薬，製品は年2回安定性試験を計画するなどしていますか？

監査のポイント

　中間体，原薬，製品は，市場出荷に先立ちその安定性を評価して，安定性が確かめられねばならない。これが前提である。この安定性が十分確保される期間を，使用期間（使用期限）もしくはリテスト期限と定めるために安定性試験を行う。これも品質リスクの軽減のための手法である。監査の際はこの原則に基づいて安定性試験が計画，実施されていることを確認する。使用期限にあわせるために保存安定性試験が行われ，そのための報告書が準備されていることがないことを確認する。

　安定性試験は，ICH Q1に準拠した条件で行っていることを確認する。気候帯は，中間体，原薬，製品が保管される最悪な気候帯を想定して決めていることを確認する。一律の温度に設定している場合は，それ以外の気候帯での保管の可能性がないことを製造所が検証していることを確認する。また，評価期間の短縮のため，本来の保管温度より高温で加速した保存試験を行う場合があるが，必ず本来の保管条件での長期保存試験を実施していることを確認する。

　また，長期の保存安定性は，年間に生産される代表的なロット・バッチを対象にして最低1件は行われることを確認する。使用期限の短い中間体，原薬，製品に関しては，安定性確認試験を行う頻度がより頻繁であることを確認する。近年，自然災害等で停電の起こる可能性が高まっている。このような状況下で，特に低温保管の原薬は停電の影響が大きいため代替手段でのリスク対策が求められる。その対策を確認する。

リスク・観察事項例

- 使用期限が安定性試験結果に基づいて設定されていない場合は，重大なリスク・観察事項である。
- 使用期限にあわせるために安定性試験を立案している場合は，品質保証上のリスク・観察事項になる。
- 特別な条件（年間生産ロット数が少ない）を除いて，代表ロットの安定性評価を行っていない場合はコンプライアンス上，ならびに品質の低下を確認できない可能性があるリスク・観察事項である。特に低温で保存する原薬に対して，停電対策がなされていないことは観察事項である。

11.7 参考品・保存品

11.70 参考品・保存品の包装及び保管は，将来原薬のロットの品質を評価する可能性に備えるためのものであり，将来の安定性試験のためのものではない。

11.71 適切に確認を受けた原薬の各ロットの参考品・保存品は，製造業者が指定した当該ロットの使用期限後1年間，又は当該ロットの出荷後3年間のうち，より長い期間で保管すること。リテスト日を有する原薬については，同様な参考品・保存品を，製造業者から当該ロットの出荷が完了した後3年間保管すること。

11.72 参考品・保存品は，原薬の保管と同じ包装システムで保管するか又は販売用の包装システムと同等又はより保護的なシステムで保管すること。なお，参考品・保存品は，公定書収載の全項目について少なくとも2回の分析を実施できる量，又は公定書がない場合には，規格の全項目について2回の分析を実施するのに十分な量を保管すること。

監査の視点

照査する文書例：①参考品・保存品に関連するSOP，②保管中の品目リスト，③参考品・保存品の廃棄記録，④保管室の温度モニタリング記録

質問例
- 参考品・保存品の取扱い手順を示してください。
- 参考品・保存品を用いて安定性試験を行っていませんか？
- 参考品・保存品の保管期間を示してください。
- 各ロット，バッチを保管していますか？
- 保管中の参考品・保存品のログブックを示してください。
- 参考品は定期的に外観を確認しますか？ 少なくとも保管期間終了時には確認しますか？

監査のポイント

参考品・保存品は，出荷後の中間体，原薬，製品に関して，顧客からの苦情等に対応するためのストックである。保管期間は，少なくとも市場に出荷されている期間と同等以上でなければならない。このため，一般には使用期限（リテスト期間）に1年を加えた期間が設定される場合が多いので，実情を確認する。近年，FDAは保存品を定期的に（たとえば1年ごと）外観を観察し，異常のないことを確認することを要求している。このような定期的な確認を行っているかも実地で確認する。

リスク・観察事項例

- 参考品・保存品が保管されていない，SOPがない場合は，市販後のリスク管理，品質低下を確認できない重大なリスク・観察事項となる。
- 保管期間が，ラベルの保管期間と同じ場合は，製品の有効期間を超過して患者の手元に残ることの考慮が必要であり，そのリスクが潜在しているため推奨事項になる。
- 保管している参考品の定期的な状態確認がない場合は，推奨事項になる。

12 バリデーション

12.1 バリデーション方針

12.10 企業の全体的な方針，目的及びバリデーションへの取組方法について，製造工程，洗浄手順，分析法，工程内試験手順，コンピュータ化システム並びに各バリデーション段階の設計，照査，承認及び文書作成の責任者に関する事項を含め，文書化すること。

12.11 重要なパラメータ・特性は，通常，開発段階中に又は実績データにより確認し，再現性のある作業に必要な範囲を定義すること。これには以下の事項が含まれる：

- 製品特性からみた原薬の特徴；
- 原薬の重要な品質特性に影響を与えるおそれのある工程パラメータの確認；
- 日常的な生産及び工程管理への使用が予定されている各重要工程パラメータの範囲の決定

12.12 バリデーションは，原薬の品質及び純度に関して重要であると判断された作業に適用すること。

12.2 バリデーションの文書化

12.20 バリデーション実施計画書は，特定の工程のバリデーションをどのように行うかについて明示した文書とすること。当該実施計画書は，品質部門及びその他の指定部門が照査し，承認すること。

12.21 バリデーション実施計画書には，実施するバリデーションの種類（例えば，回顧的，予測的，コンカレント），工程の稼動回数，重要工程及び判定基準を規定すること。

12.22 バリデーション実施計画書に対応するバリデーション報告書では，得られた結果を要約し，認められた全ての逸脱にコメントを行い，適切な結論を導き，不具合の改

> 善のために推奨する変更を含めて，作成すること．
> 12.23 バリデーション実施計画書からの逸脱は，適正な理由を付して記録すること．

監査の視点

照査する文書例：①バリデーションマスタープラン，②重要工程パラメータの設定根拠資料

<u>質問例</u>

- バリデーションマスタープランを示してください．
- プランの含む範囲を示してください．
- バリデーション実施計画書の例を示してください．
- バリデーション実施計画書を承認するのは誰ですか？　作成するのは誰ですか？
- バリデーション実施時の逸脱は報告書に記録されますか？
- ユーザー要求仕様（URS）は作成されていますか？　リスク評価に基づいて，リスクを軽減する目的で策定していますか？

監査のポイント

　監査においては，製造所のバリデーションの方針が制定されていることを前提として種々の確認を行う．まずは，バリデーションの範囲がすべての品質活動（製造，洗浄，工程管理，品質管理，コンピュータ化システムと文書管理）を含んでいること，バリデーションの計画，報告，照査・承認が網羅されていることである．さらに，近年は保管，輸送までが対象となる．これらの製造所の活動が，バリデーションマスタープランに規定されているかを確認する．

　再バリデーションは，原薬・製品の品質・安全性に影響を及ぼす重大な事象の時々に実施されるものであり，監査においては，重大な変更等の事象時にバリデーションが計画・実施されたかを確認する．その際に作成されたプロトコールが，バリデートする重要工程等を明確に規定していること，関連部門の確認，品質部門の承認がなされていることを確認する．機器設備のクオリフィケーションもバリデーションマスタープランに規定されている場合もある．

　また，重要工程パラメータ・品質特性は，研究開発・導入によりもたらされるので，それらの移管資料を確認する．

リスク・観察事項例

- バリデーションの範囲が，製造所のGMP活動を網羅していない場合はコンプライアンス・品質上のリスク・観察事項になる。
- バリデーション計画書が適切に準備され，関係部門の確認，品質部門の承認がない場合は品質上の重大なリスク・観察事項である。
- URSが作成されていない，機器導入のためのリスク評価がないことは，DQの意味があることにならない。また導入におけるリスクが評価されていないため，今後発生するリスクに対応できず，観察事項となる。

12.3 適格性評価

12.30 プロセスバリデーションの作業を始める前に，重要な装置及び付帯設備の適格性評価を完了すること。適格性評価は，通常，以下の作業を個々に，又は組み合わせて実施する：

- 設計時適格性評価（DQ）：設備，装置又はシステムが目的とする用途に適切であることを確認し文書化すること。
- 設備据付時適格性評価（IQ）：据付け又は改良した装置又はシステムが承認を受けた設計及び製造業者の要求と整合することを確認し文書化すること。
- 運転時適格性評価（OQ）：据付け又は改良した装置又はシステムが予期した運転範囲で意図したように作動することを確認し文書化すること。
- 性能適格性評価（PQ）：設備及びそれに付随する補助装置及びシステムが，承認された製造方法及び規格に基づき，効果的かつ再現性よく機能できることを確認し文書化すること。

監査の視点

照査する文書例：①機器のクオリフィケーションSOP，②バリデーションマスタープラン，③DQ, IQ, OQ（PQ）の報告書

[質問例]
- 機器装置のクオリフィケーション基準を示してください。
- プロセスバリデーションの前に機器・装置のクオリフィケーションは終了することになっていますか？

監査のポイント

　機器・分析装置は，使用に先立ち適格性の評価を行わなければならず，また評価が未了な機器等を用いてはならない。適格性評価は，外部業者に委託することもできる。

　監査では，適時にクオリフィケーションが行われたこと，機器の特性に依存するが定期的な再クオリフィケーション／キャリブレーションが行われていることを確認する。

　外部に委託した場合，業者の作成したクオリフィケーションの報告書は，品質部門が照査・承認しなくてはならない。外部業者の報告書を確認する。

リスク・観察事項例

- 適格性評価が完了する前に使用された場合は，コンプライアンス上の重大なリスク・観察事項になる。
- 外部業者が行った評価報告書を，品質部門が照査・承認していない場合はデータインテグリティ・信頼性保証上のリスク・観察事項である。

12.4 プロセスバリデーションの手法

12.40 プロセスバリデーション（PV）とは，設定パラメータ内で稼働する工程が，設定規格及び品質特性に適合した中間体・原薬を製造するために効果的かつ再現性よく機能できることに関する文書による確証である。

12.41 バリデーションには3つの手法がある。予測的バリデーションが好ましい手法であるが，例外的に，その他の手法を使用する場合がある。これらの手法及び適用を以下に示す。

12.42 予測的バリデーションは，通常，全ての原薬製造工程に関して，第12.12章で規定されたとおり，実施される。原薬製造工程について実施した予測的バリデーションは，当該原薬から生産した最終製剤の市販前に完了していること。

12.43 コンカレントバリデーション（実生産に合わせて同時的に行われるバリデーション）は，繰返しの製造運転のデータが以下の理由により利用できない時に実施する場合がある；限られた原薬ロット数のみを製造する場合；原薬ロットを稀にしか製造しない場合；又は原薬ロットを，バリデーション済みの工程を改良して製造する場合。なお，コンカレントバリデーションの完了の前に，原薬ロットの詳細なモニタリング及び試験に基づいて，当該ロットを出荷し，市販用の最終製剤に使用する場合がある。

12.44 原料,装置,システム,設備又は製造工程での変更に起因する原薬の重要な品質に変動がないことが十分確立されている工程については,例外として回顧的バリデーションを実施する場合がある。このバリデーションは,以下の条件が整った場合に使用できる:

(1) 重要な品質特性及び重要な工程パラメータが識別されていること;

(2) 適切な工程内試験の判定基準及び管理が設定されていること;

(3) 作業者のミス以外の原因に起因する重要工程の不具合や製品の不良,及び,装置の適合性と関係なく起きる装置不具合がないこと;さらに

(4) 既存の原薬についての不純物プロファイルが確立していること

12.45 回顧的バリデーションのために選択されたロットは,規格に適合しなかった全てのロットを含めて,調査期間中に実施した全てのロットを代表するロットであること。また,工程の恒常性を実証するのに十分なロット数とすること。工程に対して回顧的にバリデーションを行うためのデータを得るために,参考品・保存品の試験を行う場合がある。

監査の視点

照査する文書例:①バリデーションマスタープラン

質問例

- プロセスバリデーションの実施基準を示してください。
- 予測的バリデーション,コンカレントバリデーション,回顧的バリデーションの各バリデーションで評価する,必要なバッチ数を示してください。
- 決められたバッチ数の根拠を示してください。
- FDAは3バッチを要求項から外したことは承知していますか?

監査のポイント

　プロセスがバリデートされている状況で,不足している項目を評価するため,回顧的に過去のバッチを評価してバリデーションを行う手法もとられている。しかし,回顧的バリデーションはあくまで例外にとどめるべきである。回顧的バリデーションを実施する場合は,製造設備に起因する逸脱がないこと,つまり恒常的な製造が可能である状態で製造した,連続した一定数のバッチを評価の対象にすべきである。そのため,連続したバッチから不適合・リジェクトバッチを除くことは禁止されている。監査ではこれらの実態を確認する。

リスク・観察事項例

- 予測的，コンカレントバリデーションを行うことができた状態にもかかわらず，予測的，コンカレントバリデーションを行わず，ICH Q7が発出された2001年以降の医薬品に関して回顧的バリデーションを実施している，もしくは回顧的バリデーションの代替が恣意的な場合は，GMPコンプライアンス上のリスク・観察事項である。
- 回顧的バリデーションを行う際，恣意的に不適合バッチを除いて評価した場合は，GMPコンプライアンス上・品質上のリスク・観察事項である。

12.5 プロセスバリデーションの計画

12.50 バリデーションのための工程稼動回数は，工程の複雑性又は考慮すべき工程変更の規模によること。予測的及びコンカレントバリデーションに関しては，3回の連続して成功した製造ロットを一つの指標として使用すべきであるが，工程（例えば，複雑な原薬工程又は終了時間が長引いた原薬工程）の恒常性を証明するために，稼動回数の追加が認められる場合がある。回顧的バリデーションに関しては，工程の恒常性を評価するために，一般的に10から30の連続するロットのデータを検討すべきであるが，正当な理由があれば，より少ないロット数で検討を行う場合もある。

12.51 プロセスバリデーションを実施している期間中は，重要工程パラメータを管理し，モニターすること。なお，例えばエネルギー消費量又は装置使用を最少化するために管理する変数のように，品質に関係しない工程パラメータについては，プロセスバリデーションに含める必要はない。

12.52 プロセスバリデーションでは，各原薬について不純物プロファイルが規定した限界値内であることを確認すること。なお，当該不純物プロファイルは，実績データ，及び適用できる場合には工程開発中に定められたプロファイル又は重要な臨床試験及び毒性試験に使用したロットに係るプロファイルに匹敵するかそれ以上良好であること。

監査の視点

照査する文書例：①バリデーションマスタープラン（回顧的バリデーションの要求事項を含む），②プロセスバリデーションプロトコールと報告書，③バリデーション品の品質検査報告書（不純物プロファイルのトレンド分析）

質問例

- プロセスバリデーションの基本方針を示してください。
- プロセスバリデーションを実施する条件を示してください。
- 連続3ロットの検証でバリデーションは十分と考えていますか？
- 設定されたパラメータの範囲は検証しますか？
- プロセスバリデーションでは，不純物プロファイルの頑健性・同等性を検証しますか？
- バリデーションで検証するのは重要パラメータのみですか？ すべてですか？
- バリデーションでは，決められたパラメータの上限／下限でも評価していますか？ ストレス（過負荷）を加えた条件でも評価していますか？
- 回顧的バリデーションの実施を承認する要件は何ですか？
- 回顧的バリデーションで評価するバッチ数を示してください。

監査のポイント

　プロセスバリデーションは，広く連続成功した3バッチが要求項とされていたが，FDAは2008年のガイダンスで連続3バッチの記述を取り下げている。これは，3バッチのバリデーションでは不十分と判断したと思われると同時に，製造所がリスクベースの判断で，必要なバッチ数を決めることを示唆している。実際，重要工程のパラメータの規定範囲を評価するには3バッチが十分な数とはいえない。また，バイオシミラー，遺伝子組換え製品等では，プロセスバリデーションで製造の安定性を確認するには，3バッチでは不十分とも考えられるからである。

　バリデーションの詳細を監査する場合は，設定したバッチ数の妥当性を確認する。近年の傾向では，3バッチをバリデーションバッチとして，その後の製造バッチをベリフィケーション対象バッチとして，継続的にバリデーションを行う例もある。

　プロセスバリデーションは，本格製造に先立ち実施されることが好ましいが，商業製造・本格製造にあわせてコンカレントバリデーションとして行うこともあり，これは許容される。製造所のバリデーションに対する方針を確認して，コンカレントバリデーションの妥当性を確認する。

　また，リスクベースの観点からは，プロセスバリデーションでは，製造される中間体，原薬，製品の品質・安全性に影響を及ぼすと思われる工程・パラメータに着目して行うのであり，漫然とすべての工程・パラメータを評価すべきではないことを確認する。最適の条件，パラメータの中心値のみでバリデーションを行う傾向もあるが，中心値から条件が外れることもあるため，パラメータ上限／下限付近でのバリデーションが求められる。あえてパラメータを逸脱することは求められないが，チャレンジ的なバリデーションが期待される。

GMPでの製造一般にいえることであるが，原薬，製品の不純物プロファイルの変動がないことを恒常的に確認することが必要であり，基本となる不純物プロファイルは，臨床試験・毒性試験に用いた原薬・製品の不純物プロファイルである。バリデーションにおいても，不純物プロファイルの変動がないことを確認する。

リスク・観察事項例

- 予測的・コンカレントのプロセスバリデーションを行わず，回顧的バリデーションのみでプロセスバリデーションに代替している場合は，GMPコンプライアンス上の重大なリスク・観察事項である。
- バリデーションのプロトコールにて，重要工程，重要パラメータが特定されずに漫然とバリデーションが行われている場合は工程管理・品質上のリスク・観察事項である。
- 回顧的バリデーションにて評価される製造バッチ・ロット数が少ない場合，その評価バッチ数の妥当性が評価されていない場合は，コンプライアンス・品質上のリスク・観察事項になる。
- 不純物プロファイルの評価が行われていない場合は品質・安全性上の重大なリスク・観察事項である。
- 不純物プロファイルで新規の不純物ピークが検出されたにもかかわらず，安全性等の評価を行っていない場合は，コンプライアンス・安全性上の重大な観察事項である。

12.6 検証したシステムの定期的照査

12.60 システム及び工程は，それらがなお妥当な状態で作動していることを確認するために定期的に評価すること。当該システム及び工程に重要な変更がなく，また，品質照査によりシステム又は工程が恒常的に規格に適合する中間体等を製造していることが確認されている場合には，通常は，再バリデーションの必要性はない。

監査の視点

照査する文書例：①バリデーションマスタープラン，②バリデーションの年間，もしくは中期計画書，③製品年次照査

質問例
- 定期的な再バリデーションは定められていますか？ その頻度は？ もしくは年次照査で工程，分析法が評価されていますか？ その結果で再バリデーション実施の判断がなされますか？
- 頻度の妥当性を示してください。

監査のポイント

　製造全体にわたるシステムと工程管理が，恒常的かつ安定的に機能していることがGMPの求めることである。"恒常的かつ安定的に機能している"ことを確認するために，どのような手段をとるべきか，とっているかが監査の主眼となる。

　①年次照査を行って恒常性，安定性を確認する，②定期的に再バリデーションを行って恒常性，安定性を検証する。監査では，いずれかの方法をリスクベースに基づき実施していることを確認する。近年，FDAは定期的な再バリデーションに代えて，年次照査，製造ごとのベリフィケーションの実施で，恒常性，安定性を検証することを求めている。製造所がどの手段，方針をとっているかを確認する。

Check リスク・観察事項例

- 定期的な再バリデーションの実施，もしくは年次照査での恒常性，安定性を検証していない場合は品質低下のリスク・観察事項になる。
- ロット製造ごと，キャンペーン製造ごとにベリフィケーションを行っていない場合は，工程・品質上の潜在リスクを評価していないため，推奨事項になる。

2.7 洗浄のバリデーション

12.70 洗浄手順は，通常，バリデーションを行うこと。一般的に，洗浄のバリデーションは，汚染又は偶発的な原材料等のキャリーオーバーが原薬の品質に最大のリスクをもたらす状況又は工程に対して行うこと。例えば，初期段階の製造では，残留物がそれ以降の精製段階で除去される場合には，装置の洗浄についてバリデーションを実施する必要はない場合がある。

12.71 洗浄手順のバリデーションでは、実際の装置の使用パターンを反映させること。種々の原薬・中間体を同じ装置で製造し、当該装置を同じ方法で洗浄する場合は、洗浄のバリデーションには代表的な中間体・原薬を選択する場合がある。その選択は、溶解性、洗浄の困難さ並びに力価、毒性及び安定性に基づく残留物限界値の推定に基づいて行うこと。

12.72 洗浄のバリデーション実施計画書には、洗浄する装置、手順、原材料等、合格洗浄水準、モニタリング及び管理を行うパラメータ並びに分析方法を記載すること。
また、実施計画書には、採取する検体の種類、採取方法及び表示方法を記載すること。

12.73 不溶性及び溶解性残留物の両方を検出するために、検体採取には、スワブ法、リンス法又は代替方法（例えば、直接抽出）を適切に含めること。使用する検体採取方法は、洗浄後の装置表面上に残留する残留物の水準を定量的に測定できる方法にすること。スワブ法は、製品接触表面に装置設計又は工程の制約のために容易に近づけない場合は実際的ではない。例えば、ホースの内部表面、移送パイプ、反応タンクの開口部の小さい部分、毒性材料を取扱う反応タンク、微粉砕機やマイクロフルーダイザー等の小型で複雑な装置等があげられる。

監査の視点

照査する文書例：①洗浄SOP，②洗浄記録，③洗浄バリデーションプロトコール，報告書，④残留許容基準，⑤工程環境での汚染防止策

【質問例】

- 洗浄バリデーションの基本方針があれば、示してください。たとえば、残留許容基準の考え方、残留物のリスク評価の基準などです。
- 開発段階の検討で、検出される不純物、次工程で除かれる不純物は判明していますか？
- ワーストケースで洗浄バリデーションを行いましたか？　そのときの基準はどの項目を採用しましたか？
- 洗浄バリデーションの残留許容量の算出基準を示してください。
- 残留量の測定法、分析法を示してください。
- 分析法は、十分に残留量を検出できる感度を有していますか？
- 洗浄困難箇所は特定されていますか？
- ホットスポットはありますか？　あれば示してください。
- 添加回収試験は行いましたか？　合格基準は何％ですか？
- 多品目製造設備の場合、前後の製造品目間の許容残留量組み合わせで、洗浄確認を行っていますか？

監査のポイント

　GMPの基本原則の1つである汚染防止に関して，製造所がとっている手段とその現状を確認することになる。製造所が，汚染防止のために汚染源をリスク分析で特定しているかがポイントである。「8.5 汚染管理」の項（p131）で解説したように，内部汚染・外部汚染への対応手段や，残留許容基準の設定とその根拠，ホットスポットのモニタリングを実施しているかなどが確認すべき事項となる。

> **Check ✓ リスク・観察事項例**
>
> - 残留許容基準が，科学的（毒性学的）知見に基づいて，また残留物の安定性を考慮して決定されていなければ，安全性上の重大なリスク・観察事項である。
> - 逸脱と関連するが，汚染が観察・報告後，リスク分析，汚染源の特定，対策がとられていない場合は再発可能性があるリスク・観察事項になる。
> - 汚染の確認の方法としてスワブ法が採用されず，リンス法のみの場合は残留物が存在するリスク・観察事項である。

12.74 残留物又は汚染物を検出できる感度を有するバリデーション済みの分析方法を使用すること。各分析方法の検出限界は，残留物又は汚染物の設定合格水準を検出するのに十分な感度とすること。当該分析方法の達成可能な回収水準を設定すること。
　残留物限界値は，実際的で，達成可能であり，立証可能であり，かつ，最も有毒な残留物に基づいたものとすること。限界値は，原薬又はその最も有毒な組成物に関する既知の薬理学的，毒性学的又は生理学的活性の最小量に基づいて設定すること。

12.75 装置の洗浄作業・消毒作業の検討は，原薬中の生菌数又はエンドトキシンを低減する必要のある工程，又は，そのような汚染が問題となる他の工程（例えば，無菌製剤の生産に用いる非無菌原薬）について，微生物汚染及びエンドトキシン汚染を対象として行うこと。

12.76 洗浄手順は，当該洗浄手順が通常の製造時に有効であることを保証するために，バリデーション後適切な間隔でモニタリングを行うこと。装置の清浄性は，分析試験及び可能な場所では目視検査でモニタリングを行う場合がある。目視検査により，検体採取及び分析では検出できない，小さな部分に集中する大量の汚染の検出が可能な場合がある。

監査の視点

照査する文書例：①洗浄バリデーションに用いた分析法の記録，②添加回収試験結果，③洗浄確認ログブック，④年次照査での洗浄工程の評価とトレンド分析，⑤バリデーションマスタープラン

[質問例]
- 洗浄バリデーションに用いた分析法は通常の分析法でしたか？
- 感度（精度）は汚染を確認できる感度ですか？
- 残留のリスクはどのように評価しましたか？　分解物ですか，微生物ですか？
- 再バリデーションの頻度は？　もしくはベリフィケーションを継続的に行いますか？
- 目視評価の基準は定量化してありますか？
- 評価者は訓練・認定されていますか？　記録を示してください。

 監査のポイント

　洗浄確認，洗浄バリデーションに用いる分析法は，汚染・残留を検出するのに十分な感度を有していることと，迅速に試験ができることが要求項である。さらに，容器の壁からサンプルを採取する手法が適切な感度を有していることも大事であるが，ホットスポットと称される検出が困難なパイプの内壁，バルブの内弁，排出口よりサンプルを採取できなければならない。サンプル採取法がホットスポット等のリスクを考慮して確立されているかを確認する。

　汚染物質は，化学物質のみならず生体由来糖・たんぱく質，微生物，エンドトキシンも対象にする場合がある。原薬・製品の用途でのリスクを評価して，対象物を設定しなければならない。この許容限界は，品質・安全性への影響を基に算出しているかを確認する。

　目視確認を検査項目に入れている場合，目視確認の定量化，検出限度値が設定されているかを確認する。実際に汚染させた標準物を目視観察することで限度は測定確認できることをFDAは指摘しているので，実態を確認する。

> **リスク・観察事項例**
>
> - 検出限界，サンプル回収率が適正でないと判断される場合は，残留物を適切に評価できず，安全性上の重大なリスク・観察事項である。
> - 化学物質と平行して，微生物，たんぱく質，エンドトキシン等の残留リスクが評価されていない場合は，安全性上の重大なリスク・観察事項である。

12.8 分析法のバリデーション

12.80 採用する分析法が，薬局方又はその他認知された参考文献に収載されていない場合には，バリデーションを行うこと。バリデーションが実施されていない場合でも，使用する全ての試験方法の適合性を実際の使用条件で証明し，記録すること。

12.81 分析法は，分析法のバリデーションに関するICHガイドラインに含まれる特性を考慮して，バリデーションを行うこと。実施する分析のバリデーションの程度は分析の目的及び原薬工程の段階を反映するものとすること。

12.82 分析法のバリデーションを開始する前に，分析装置の適切な適格性評価を検討すること。

12.83 バリデーションを行った分析法に係る全ての修正について，完全な記録を保管すること。当該記録には，修正の理由及び修正された方法が確立した方法と同様に正確で信頼できる結果をもたらすものであることを証明する適切なデータを含めること。

監査の視点

照査する文書例：①分析法のバリデーション計画書もしくは分析法の移管に関するプロトコール，②バリデーションの報告書，③分析機器の適格性結果

質問例
- 分析法バリデーションのプロトコールを見せてください。
- 分析機器の適格性に関する書類を見せてください。
- バリデーション実施中に逸脱，OOSは発生しましたか？
- 分析法はバリデーションで変更・修正されましたか？ あればその記録を示してください。
- 得られた精度は工程管理，品質評価に十分な値ですか？

監査のポイント

使用されている分析法が，バリデートされた方法か薬局方の公的に認められた分析法であることを監査で確認する。また，薬局方等に記載されていない分析法の場合は，分析される中間体，原薬，製品の品質評価に適するものであって，精度も確保されていなければならない。薬局方に記載されている分析法に関しても，分析をはじめて行う場合は，ベリフィケーションを行うことが推奨されているので，薬局方の手順を確認して，よりリスクを軽減しているかを確認する。薬局方の記述に完全に準拠した分析が不可能な場合があり，若干の修正を行うこともある。これは禁止されていることではないが，

修正の妥当性の検討を行い実施した検討経緯を記録して残しておくことが要求されている。監査では，修正にかかわる文書を確認する。また，分析機器はすべてクオリフィケーションされ，校正有効期限内の状況であらねばならないので，文書もしくは実地にて確認する。

リスク・観察事項例

- 分析法がバリデートされた方法か薬局方に記載された方法以外の場合は，品質上の重大なリスク・観察事項になる。
- 薬局方の分析法を修正した場合，その経緯，修正の妥当性評価の記録がない場合は，品質管理の信頼性上のリスク・観察事項になる。
- 分析機器について適切なクオリフィケーションがされていない場合は品質試験結果の信頼性にかかわる重大なリスク・観察事項になる。

13 変更管理

13.10 中間体・原薬の製造及び管理に影響を与えるおそれのある全ての変更を評価するために，正式な変更管理体制を確立すること。

13.11 原料，規格，分析法，設備，支援システム，装置（コンピュータハードウエアを含む），工程，表示・包装材料及びコンピュータソフトウエアに係る変更の確認，記録，適切な照査及び承認に関して文書による手順を設けること。

13.12 GMPに関連する変更に係る全ての提案は，適切な部署が起案し，照査し，承認し，さらに品質部門が照査し，承認すること。

13.13 提案された変更により起こり得る中間体・原薬の品質への影響を評価すること。バリデーションを既に行った工程に係る変更を正当化するために必要な試験，バリデーション及び文書化の程度を決定するために，レベル分けの手順は助けになる。変更の性質及び程度並びにこれらの変更が工程に与える影響により変更を分類する場合がある（例えば，小さな変更又は大きな変更）。なお，科学的判断に基づき，バリデーションを行った工程の変更を正当化するのに適切な追加の試験及びバリデーションの決定を行うこと。

13.14 承認を受けた変更を実施する場合，その変更によって影響を受ける全ての文書が確実に改定されるよう対策を講じること。

13.15 変更実施後，変更の下で製造又は試験を行った最初の複数ロットについて評価を行うこと。

13.16 設定したリテスト日又は使用期限について重要な工程変更により起こり得る影響を評価すること。必要な場合には，修正した工程により製造した中間体・原薬の検体を加速安定性試験や安定性モニタリングプログラムに供する。

13.17 設定した製造手順及び工程管理手順からの変更が原薬の品質に影響を与えるおそれがある場合には，現在製剤を製造している製造業者にその旨を通知すること。

監査の視点

照査する文書例：①変更管理SOP，②変更管理ログブック

[質問例]

- 年間の変更申請は何件ありますか？ ログブックを示してください。
- 変更はその重要度等で分類しますか？ その分類の基準はどのように規定されていますか？
- 変更管理に付随してリスク評価を行いますか？
- 許容できるリスクの大きさは定量的に決めてありますか？ 高リスクの変更申請は受理しますか？
- 変更申請はどの部門で受領しますか？
- 変更は受領時に審査しますか？ 変更申請を受領しないことがありますか？
- 変更申請はどのように審査（評価）されますか？
- 変更に必要な試験・バリデーションはどの部門が決めますか？
- 変更の評価の段階で不適合が見つかれば，変更前に戻すのですか？
- 変更の影響度調査は，どの範囲まで検証しますか？
- 変更の影響度調査は，年次照査で行いますか？

監査のポイント

　変更管理の基本は，"変更をしないこと"である。この基本を監査先が理解しているかを確認することが必要である。また，変更することで得られる利益と変更がもたらすリスクを常に評価しているかを検証する。

　変更管理はリスクを伴う手順であるので，必要に応じて行われるべきである。安易に変更が行われることがないようにしていなければならない。この変更管理の基本から，製造所において変更管理が頻繁に行われている事実があれば，逸脱の発生可能性が高いこと，もしくは製造での変更が頻発すれば，工程のバリデーションが未熟もしくは固定化されないと推測して，監査に臨まなければならない。

　また，変更申請は品質部門が受理して，真に必要な変更であるかを照査しなければならない。必要であると認めた申請に関して，変更管理の手順を適用すべきである。品質部門で受理された変更申請は，変更の及ぼす影響，変更のもつ（潜在する）リスクを関連する部門内で評価しなければならない。検出されたリスクは，そのリスクが最小限許容できる程度に最小化する対応策を講じなければならず，その対応策としてはバリデーション，保存安定性試験，教育訓練等があげられる。これらのリスク軽減（最小）化する手段を講ずることで変更の検証は認められる。この検証を行い，その結果でリスクが

許容できる大きさになったことを確認した後,変更は許可される。しかし,リスクが許容できる程度まで最小化できなかった場合は,変更を不許可にして,変更申請前の状況を維持する。変更が終了した後,決められた期間,変更に伴うリスクが許容できる限度内にあるかを検証する。年次照査でも,変更管理が及ぼす影響を評価せねばならない。これらのコンセプトがSOPに規定され,変更管理で実践されているかを確認する。

> **Check**
> ### リスク・観察事項例
>
> - 変更管理のSOPに,関連部門でのリスク分析,最小化する手段の選定が記述されていない場合は,変更後の品質低下・工程の安定性低下の可能性があるリスク・観察事項となる。
> - 変更管理の手順で,影響の評価が定められていない,または関連する部門での評価がない場合は変更後の品質低下のリスク・観察事項になる。
> - 年次照査で,変更管理のリスク評価,その後の影響調査が行われていない場合も,変更後の長期的な品質低下のリスク・観察事項になる。
> - 変更の評価中に,リスクが低減されない状態で変更を継続する,または後戻りできない変更申請はリスクが高く,変更管理の手順自体が観察事項になる。

14

中間体，原薬等の不合格及び再使用

14.1 不合格

14.10 設定規格に適合しない中間体・原薬は，その旨を識別し，区分保管すること。当該中間体・原薬は以下に示すとおり再加工又は再処理する場合がある。不合格原材料等の最終処置は記録すること。

👁 監査の視点

照査する文書例：①中間体，原薬もしくは製品の判定SOP，②ラベル管理SOP，③中間体，原薬，製品の区分保管SOP，④不適合品の廃棄記録

<u>質問例</u>
- 不合格品は，判定後どのように扱われますか？
- 保管は特別な措置がとられますか？
- 不合格は逸脱として調査されますか？
- 過去3年間の不合格品のログブックを示してください。
- 不合格品の処理はログブックに記録されていますか？
- 不適合品は徹底的に調査されますか？

監査のポイント

　不適合と判定された中間体，原薬，製品が誤って使用されないために，十分な保全対策がなされているかを確認する。また，最悪のことであるが，不適合品が悪意をもった人間によって出荷されてしまうことへの対策を確認することが監査のポイントである。不適合品は誤使用されないよう，確実に廃棄もしくは再加工・処理がなされたことが明示された記録を確認する。

> **Check** ✓ リスク・観察事項例
>
> ● 適切に不適合品が隔離保管され，誤使用が防がれていない場合は，不適合品が出荷されるおそれのある重大なリスク・観察事項である。

14.2 再加工（Reprocess）

14.20 基準又は規格に適合しないものを含め中間体・原薬を工程に戻し，設定された製造工程の一部である結晶化段階又はその他の適切な化学的又は物理的操作（例えば，蒸留，濾過，クロマトグラフィー，粉砕等）を繰返すことにより再加工することは，一般的には，許容される。ただし，そのような再加工を大部分のロットで行う場合は，そのような再加工は標準的な製造工程の一部として含めること。

14.21 工程内管理試験により，当該工程が未完了であることが示された場合，その後の工程の継続は通常の工程の一部と考える。これは再加工とは考えない。

14.22 未反応物を工程に戻し，化学反応を繰返すことは，それが設定した工程の一部でなければ，再加工と考える。そのような再加工は，中間体・原薬の品質が生成するおそれのある副生成物及び過剰反応物質により悪影響を受けないことを保証するために慎重な評価を行うこと。

👁 監査の視点

照査する文書例：①OOS調査報告，②再加工（Reprocess）SOP，③再加工（Reprocess）の実施記録，④製造記録（再加工の記述箇所）

[質問例]

- Reprocessは文書化されていますか？
- Reprocessが開始・許可されるまでの手順を示してください。
- OOSの調査が終了していることはどの記録を見ればよいのですか？
- Reprocessは何回まで認められますか？
- Reprocessした中間体，原薬の同一性はどのように担保しますか？　安定性試験を評価しますか？
- Reprocessの手順を決めたとき，バリデーションを行いましたか？

監査のポイント

監査では，再加工（Reprocess）と再処理（Rework）を混同しないことである。日本語訳は使用せずRework/Reprocessを使用することが勧められる。

再処理（Rework）は，定められた製造法に代えて再度製造工程に戻すことであるのに対して，再加工（Reprocess）は，定められた製造法にて，規格に適合するために再度行うことである。

また，再加工（Reprocess）のSOPに基づき，製造記録書には，再加工（Reprocess）の適用の基準が規定されている。また，Reprocessの採用可能な回数も規定されていることが必須である。しかし，規定されるReprocessの繰り返し回数は限定され，一般的に2～3回ほどが限界と考えられている。なお，PATの考え方で工程内管理（IPC）を行い，その結果が規格に到達していないためにその作業を継続することは，Reprocessにはあたらない。

Reprocessは，事前に製造法のバリデーションで検証され，作業を繰り返すことで規格への適合を確認することが要求事項である。また，品質部門の承認は必須である。Reprocessが対応できる品質規格項目は事前に制定しておかねばならない。安易なReprocessの実施は，厳に慎まねばならないので，運用状況を監査の際確認する。

リスク・観察事項例

- Reprocessの手順が十分な検証に基づかずに設定されている場合は，恣意的な不適合品処理の重大なリスク・観察事項である。
- OOSの十分な調査・品質部門の承認がないまま製造部門がReprocessを行う（行った）場合も，品質低下・恣意的な不適合品処理の重大なリスク・観察事項である。

14.3 再処理（Rework）

14.30 設定した基準又は規格に適合しないロットを再処理することを決定する前に，不適合の理由を調査すること。

14.31 再処理したロットについては，再処理製品が本来の工程で製造されるものと同等の品質を有することを示すために，適切に評価し，試験し，安定性を保証する場合は安定性試験を行い，記録すること。コンカレントバリデーションは，しばしば再処理

手順に関する適切なバリデーション手法となる。これにより，実施計画書に再処理手順，実施方法及び予測結果を定義することが可能になる。再処理するロットが1ロットのみの場合，再処理をまず行い，その後，報告書を作成し，当該ロットが問題ないことが判明した後出荷を行う場合がある。

14.32 再処理を行ったロットについて，当該ロットごとの不純物プロファイルを設定した工程で生産されたロットと比較する手順を設けること。通常の分析方法が再処理ロットの特性化に不十分な場合には，他の方法を使用すること。

監査の視点

照査する文書例：①OOS調査報告書，②再処理（Rework）のSOP，③再処理（Rework）のプロトコールと品質評価結果，④同等性評価報告書

[質問例]
- どのようなときにReworkを選択しますか？ Rework以外の選択肢はないのですか？
- Reworkを行う場合の基準を示してください。
- Reworkを開始する前に行う検証は何ですか？ どの部門が行いますか？
- マスター不純物プロファイルを保持していますか？
- マスター不純物プロファイルとReworkした中間体，原薬のプロファイルは同一性をどのように証明しますか？

監査のポイント

Reworkは規定の製造法に代えて，代替の製造法，溶媒を用いて不適合品を再度製造することを指す。OOSの調査が十分に実施され，不適合が確定して，品質部門の承認の下に実施される手順である。また，製造部門が単独で行うのではなく，技術・開発部門の主導で行われることを確認せねばならない。

Reworkは，基本的に顧客の許可，当局の許可等が必要な作業であるため，多くの製造所は実施に消極的である。またReworkを行うためには，事前にプロトコールを作成し，予備検討，Reworkの実施，製造された中間体，原薬，製品は，通常に製造された中間体，原薬，製品との同等性評価を行う。特に不純物プロファイルの変化の有無，保存安定性の実施が必須である。製造法が異なるため，含まれる不純物が異なる可能性があり，安全性・品質への影響，リスクが存在する。このような承認・確認の手順をすべて行い，かつ通常に製造された中間体，原薬，製品等との同等性が十分に証明されたかを確認する。GMPコンプライアンスが低い製造所では，安易なReworkが行われていることがあるので確認する。

リスク・観察事項例

● 品質部門の承認，Reworkのプロトコール等のすべての手順が遵守されていることが必須であり，同等性の確認・承認等が行われていなければ，恣意的な不適合品処理・コンプライアンス上の重大なリスク・観察事項である。

14.4 中間体，原薬等及び溶媒の回収

14.40 反応物・中間体・原薬の回収（例えば，母液又は濾液からの回収）は，承認を受けた回収に係る手順が存在し，回収したものが目的とする用途に適切な規格に適合する場合には許容される。

14.41 溶媒を回収し，同じ工程又は別の工程で再使用する場合がある。ただし，この場合には，当該溶媒を再使用する前の段階，又は，当該溶媒を他の承認された溶媒と混合する前の段階において，当該溶媒が該当する基準に適合することを保証するため，回収手順を管理し，モニターすること。

14.42 溶媒及び試薬の新規のもの及び回収したものを混合する場合には，適切な試験により，当該溶媒又は試薬を使用する全ての製造工程について当該溶媒又は試薬の適合性が証明されていること。

14.43 回収溶媒，母液及びその他の回収物質の使用については，適切に記録すること。

監査の視点

照査する文書例：①回収再利用のSOP，②再利用品の規格，③評価結果，④マスター製造記録

【質問例】

● 溶媒回収の基準とSOPを示してください。
● 回収溶媒のログブックを見せてください。
● 回収溶媒の規格とその設定根拠を示してください。
● 不純物の基準は設けましたか？
● 新品の溶媒と回収溶媒は混合しますか？ そのときの比率は決まっていますか？
● 回収溶媒が，製品の品質に影響がない，特に不純物プロファイルに影響を及ぼしていないことを検証していますか？ 特にニトロソアミン不純物を対象に分析していますか？

- 回収溶媒はどのように精製しますか？
- 回収した母液はどのように混合しますか？ そのときのロットのトレーサビリティはどのように保証しますか？
- 収率（回収率）はどのように計算しますか？
- 回収した母液のみでReprocessする場合のロットの記録手順を示してください。
- 母液の保管期限は決めてありますか？ その期間を担保してありますか？

監査のポイント

　製造工程で用いられる有機溶媒を回収して製造に用いることは，資源保護から否定されるものではない。有機溶媒を回収して再利用するには，検証された手法（回収方法，精製方法，品質管理方法）で行うことが必須で，承認された文書にまとめられていなければならない。特に品質管理では，有機溶媒が反応等に影響を及ぼす可能性のある不純物の基準を科学的に検証していなければならない。たとえば有機溶媒を精留して，有機溶媒以外の製造原料，中間体，その不純物を検出限界以下にする。また，品質検査は外観の検査以外に純度を検証するのに妥当性を示す機器分析，たとえばガスクロ分析を行うことが要求される。

　回収溶媒と新規溶媒との混合比率，また回収溶媒を繰り返し使用するならば，繰り返し回数の限界基準を確認する。

　精製段階での発生・分離・ろ過による母液の再回収に関しては，その次の過程に加えることでは，原料等のトレーサビリティ，収量算出に影響を及ぼすことから避けねばならない。このため，代替として回収母液，数バッチを集めて，回収液で作製したロットとして分離することが勧められる。

リスク・観察事項例

- 回収溶媒は単純蒸留を通して得られるが，品質検査を行っていない場合は品質低下，特に不純物プロファイルが変化するリスク・観察事項である。
- 回収母液を製造工程に添加して中間体，原薬を製造する場合，トレーサビリティが検証できない，収率の計算に頑健性が確保できないならば，品質低下のリスク・観察事項になる。

14.5 返品

14.50 返品された中間体・原薬は，その旨を識別し，区分保管すること。

14.51 返品された中間体・原薬が，返品前あるいは返品中に保管又は輸送された条件又はその容器の状態により，その品質に疑いがもたれる場合，返品された中間体・原薬は適切に再加工，再処理又は破棄のいずれかの処置を行うこと。

14.52 返品された中間体・原薬の記録を保管すること。当該記録には，返品ごとに，以下の事項を含めること：

- 荷受人の氏名及び住所
- 中間体・原薬名，ロット番号及び返品量
- 返品の理由
- 返品された中間体・原薬の使用又は廃棄

監査の視点

照査する文書例：①苦情処理SOP，②返品された中間体，原薬，製品の取扱いSOP，③ラベルSOP，④返品のログブック

質問例

- 返品のSOPを見せてください。
- 顧客からの苦情・返品を受領する部門はどこですか？
- 返品の受付から終了までのフローを説明してください。
- 返品のログブックを見せてください。
- 返品のトレンド分析は行っていますか？
- 同一の返品，特に品質・安全性に起因する返品が続いたらどう対処しますか？
- 返品はクラス分類しますか？　その根拠はどのように設定していますか？

監査のポイント

　中間体，原薬，製品が返品される際には，事故等の理由があることが前提である。この理由に基づき，返品は区別して保管することが必要である。品質に対する苦情に関連しての返品の場合は，その返品が，調査が行われ処分法が決定するまで，誤って製造，出荷されないように隔離保管されねばならない。さらに，返品の数量は厳密な管理が必要である。これらのため，倉庫には返品のための隔離された施錠可能な区画が必要である。監査では区分管理の設備，SOPを確認する。

また，返品は苦情処理に関連するため，苦情調査が十分に行われなければならない。特に品質問題で返品された場合，原因調査・処分が決定されるまで，検査中・不適合のラベルが並列で添付されることが望まれる。

Check リスク・観察事項例

- 返品の取扱いSOP，返品の受入SOP，区分保管の設備がない場合は不適合品が出荷されるリスク・観察事項になる。
- 返品を適切に調査せず，再加工（Reprocess），再包装を行うことは厳に慎まなければならないので，GMPコンプライアンス上の重大なリスク・観察事項になる。

15

苦情及び回収

15.10 全ての品質に関連する苦情は，口頭又は文書のいずれで受けた場合にも，手順書に従って，記録し，調査すること。

15.11 苦情記録書には，以下の事項を含むこと。：

- 苦情申出者の名称及び住所；
- 苦情を提出した人の氏名（及び該当する場合には，肩書き）並びに電話番号；
- 苦情の内容（原薬の名称及びロット番号を含む）；
- 苦情を受けた日付；
- 最初に取った措置（措置を取った日付及び担当者の氏名を含む）；
- 実施したすべての追跡調査；
- 苦情申出者への対応（返答した日付を含む）；及び
- 中間体・原薬のロットに係る最終決定

15.12 苦情記録書は，傾向，製品に関連した頻度及び改善措置を追加的にかつ必要に応じて直ちに行う観点からの重要度を評価するために保管すること。

監査の視点

照査する文書例：①苦情SOP，②過去3年間の苦情のリスト，③苦情処理の記録書，④苦情のトレンド分析，⑤苦情に基づくCAPA

[質問例]
- 過去3年間の苦情のログブックを見せてください。
- 苦情は重要性で分類しますか？ 分類は何段階ですか？
- 顧客からの苦情の受付手順を説明してください。

- 苦情の調査の責任部門，回答部門はどこですか？　原因調査の責任部門はどこですか？
- 苦情が繰り返される場合はどうしますか？
- 重篤な苦情が知らされたときはどのように対処しますか？　経営陣と共有しますか？
- 過去の苦情のトレンド分析，同様の苦情の繰り返しがないことは確認していますか？
- 苦情に関してはCAPAを行いますか？
- 苦情処理の期限は設けていますか？　何日ですか？

監査のポイント

　品質試験はあくまでサンプリング手法の検査であり完璧なものではない。このため，苦情は製造所内での品質試験をすり抜けた不適合品と考えられる。そこで，監査先が苦情を品質試験の改善の源と考えているか，また品質改善，CAPAの基点と考えているかが監査でみるべきポイントである。受領した苦情について，製造現場で原因調査，根本原因調査，CAPAを実施しているかを確認する。特に苦情処理を品質部門が主体的に行っているか，営業部門が行っているかを確認する。

　類似する苦情が繰り返されることは，原因調査，CAPAを実行していないことを示唆しているため，苦情の回答書を照査して，決まり文句の記述であるか，根本原因を調査したかを確認する。苦情は定期的にトレンド分析を行い，同一・類似の苦情の減少を確認してCAPAの有効性を確認する。ただし，同一ロットで類似の苦情が連続する場合は，次に照査する回収の手順に移行することが苦情のSOPに記述・定義してあるか，苦情のトレンド分析で行ったかを確認する。回収を恐れてこの分析を躊躇することが多いので，苦情のログブックは重点的に確認する。

リスク・観察事項例

- 市場より寄せられた苦情をすべて記録して調査していない場合，品質部門でなく，営業部門等が苦情を処理していることは，信頼性保証上の重大なリスク・観察事項である。
- 苦情の原因，根本原因調査を十分に行わない，CAPAが有効に行われていないために苦情が繰り返されることは，重大なリスク・観察事項である。
- 苦情のトレンド分析を行い，CAPAが有効に働いていることを検証していない場合は観察事項である。しかし，同一ロット内で繰り返し同じ苦情が発生することを放置し，回収を検討しない場合は，不適合品が出荷され続ける可能性のある重大なリスク・観察事項になる。

15.13 中間体・原薬の回収を検討すべき状況を明確に定義した手順書を設けること。

15.14 回収手順には，情報評価に関与する担当者，回収を開始する方法，回収について知らせるべき者及び回収品の処理方法を明示すること。

15.15 重篤又は生命を脅かすおそれのある状況の場合には，地方，国又は国際的な当局にその旨を連絡し，助言を求めること。

監査の視点

照査する文書例：①回収SOP，②回収の記録，③回収品の保管，処理のログブック

質問例

- 該当するSOPを見せてください。
- 回収のフロー，手順を示し，説明してください。回収に関する連絡網は確立していますか？
- 回収の判断を行うのは品質部門の責任者ですか？ 経営責任者ですか？
- 回収の基準はどのように記述してありますか？
- 回収の実績はありますか？ ある場合，そのときの記録を提示してください。また，根本原因調査報告書とCAPAの実施記録を見せてください。
- 回収の訓練は行いますか？

監査のポイント

　　回収は，品質・安全性に重大な欠陥が見出されたときの措置である。あってはならないことだが，往々にして起こる事象であるため，必ず準備しなければならないSOPである。経営者を含め，年に一度は回収の訓練をすることが望まれる。監査では，SOPに回収を行うときのクラス分類が定められており，厚生労働省，WHOの基準と同じであることを確認する。また，回収は患者への影響を最小限にすることを目的とすることがSOPに明記され，製造所自体が十分認識していることを確認する必要がある。

　　回収は，患者の安全確保のために行われるものであり，苦情報告から，品質・安全性に影響を及ぼす事象が報告されたならば，品質・安全性部門は，回収の可能性を考えているかを確認する。また，回収を自社の営業面から検討することがみられるかを確認する。

　　回収の経験がある製造所では，回収の根本原因調査，CAPAが効果的に行われたかを確認し，回収品の返品ルート，保管方法，処分方法などの実績を確認する。

リスク・観察事項例

- 回収のSOPが,回収を行うすべての項目(クラス分類,判断の手順,当局への連絡等)が明確に記述されていない場合は,観察事項になる。
- 回収の訓練を年に1回実施していない場合は推奨事項になるが,EU向けに出荷している場合は観察事項になる。

16 受託製造業者（試験機関を含む。）

16.10 全ての受託製造業者（試験機関を含む）は本ガイドラインで規定したGMPに従うこと。交叉汚染の防止及びトレーサビリティの維持に特別の考慮を払うこと。

16.11 受託製造業者（試験機関を含む）は，契約現場で行われる定められた作業がGMPに適合していることを保証するために，委託者による評価を受けること。

16.12 契約の委託者及び受託者は，文書による，承認を受けた契約書又は正式の合意書を備えること。当該契約書又は合意文書には，品質に関わる処置を含めてGMPで規定されているそれぞれの責任分担を詳細に明記すること。

16.13 契約書では，GMP適合を確認するために，委託者が受託者の施設を監査する権利を認めていること。

16.14 下請契約が認められている場合，受託者は，委託者による下請け合意に関する事前の評価及び承認なしに，契約を結んで委託されたいかなる仕事も第三者に委譲しないこと。

16.15 製造記録及び試験記録は，その作業が行われた場所で保管し，すぐに利用できるようにしておくこと。

16.16 工程，設備，試験方法，規格又はその他契約上の要件の変更は，委託者がその変更について連絡を受け，かつ，承認しない限り，行わないこと。

監査の視点

照査する文書例：①受託製造業者ならびに試験機関のGMPに関する組織，SOP，記録，②委託先（この場合は，監査している製造先）との契約書，③監査報告書もしくは認証報告書，④委託に関するSOP

質問例
- 受託製造業者ならびに試験機関の選定の手順，実施報告書を見せてください。
- 選定認定の基準書を見せてください。
- 受託製造業者ならびに試験機関との契約書，特に品質契約書を見せてください。
- 再監査・再認定の頻度が書かれている文書を見せてください。
- 受託製造業者ならびに試験機関との連絡に関するログブックと様式，最近受領した変更もしくは逸脱の連絡を見せてください。
- 前回はいつ監査を行いましたか？　観察事項はありましたか？

監査のポイント

　近年，製造所の合理化等で，製造・包装工程の一部もしくはすべてを委託する，品質試験の一部もしくはすべてを委託することが多い。また，製造・品質検査施設をもたない製造所も現実に存在している。監査では，そのような製造所もしくは受託製造業者ならびに試験機関が，適切にGMPに準拠して，中間体，原薬，製品の製造・包装・試験を行っているかを確認する。

　該当する製造所と受託製造業者ならびに試験機関との契約内容と認定・監査の報告を照査して，適切に行われたかを確認する。契約書の照査では，委託元と受託製造業者ならびに試験機関の責任が明確に文書化されていること，監査権の確保の条項，再委託の場合，委託元の許認可の必要条項，文書管理の条項と委託先の開示要請に応諾の条項，変更管理の委託元の許諾条項，逸脱・OOSの委託元への連絡条項と委託先の許諾条項が，適切に規定されていることを確認する。

　委託元（製造所）が委託契約の締結に先立ち行った監査・認証の記録を照査して，受託製造業者ならびに試験機関をどのような手段で評価しているか，評価結果，認定の手順を確認する。また，委託後の定期的な監査・再認定の実施の記録を確認する。

　受託製造業者ならびに試験機関の監査では，特に品質の低下を防ぐための汚染防止，混合の防止の状況，すべての製造・品質管理の情報が適時・適切に記録され，適切に保管されているか，電子記録では，オーディットトレイルが正確に記録され，変更訂正が記録されていることの確認を行っているかをチェックする。

リスク・観察事項例

- 受託製造業者ならびに試験機関が，適切に監査・認定されていないもしくは文書に起こされていない場合は，品質保証上の重大なリスク・観察事項になる。
- 受託製造業者ならびに試験機関を，定期的に監査・再認定していない場合は観察事項である。
- 受託製造業者ならびに試験機関と契約を締結して，両者の責任分担を明確にしていない場合は，品質保証の頑健さへの重大なリスク・観察事項になる。
- 契約書に，監査権の確保の条項，再委託の場合，委託元の許認可の必要条項，文書管理の条項と委託先の開示要請に応諾の条項，変更管理の委託元の許諾条項，逸脱・OOSの委託元への連絡条項と委託先の許諾条項が記載されていない，もしくはその条項が実行されていない場合は，GMPコンプライアンス上のリスク・観察事項である。

17 代理店, 仲介業者, 貿易業者, 流通業者, 再包装業者及び再表示業者

17.1 適用範囲

17.10 第17章は, 原薬・中間体の販売・取扱い, 再包装, 再表示, 処理, 流通又は保管を行う, オリジナルの製造業者以外の全ての関連業者に適用する。

17.11 全ての代理店, 仲介業者, 貿易業者, 流通業者, 再包装業者及び再表示業者は本ガイドラインで規定されたGMPに従うこと。

17.2 出荷された原薬・中間体のトレーサビリティ

17.20 代理店, 仲介業者, 貿易業者, 流通業者, 再包装業者及び再表示業者は, 自らが販売した原薬・中間体を完全に追跡できるようにしておくこと。以下の事項を含む記録文書は利用できるように保管すること：

- 製造業者の名称
- 製造業者の住所
- 購入注文書
- 積荷証券（輸送関係書類）
- 受領書類
- 原薬・中間体の名称又は呼称
- 製造業者のロット番号
- 輸送及び配送記録
- 製造業者のものを含む全ての真正の試験成績書
- リテスト日又は使用期限

17.3 品質マネージメント

17.30 代理店,仲介業者,貿易業者,流通業者,再包装業者又は再表示業者は,第2章で規定する品質マネージメントを行う有効な体制を確立し,文書化し,実施すること。

17.4 原薬・中間体の再包装,再表示及び保管

17.40 原薬・中間体の再包装,再表示及び保管は,混同及び原薬・中間体の特性又は純度の低下を避けるために,本ガイドラインで規定したように,適切なGMP管理下で実施すること。

17.41 再包装は,汚染及び交叉汚染を避けるために,適切な環境条件下で実施すること。

監査の視点

照査する文書例:①GMPに関する組織,SOP,記録,②販売した原薬,中間体の記録書

[質問例]

- 原薬,製品の代理店,仲介業者,貿易業者,流通業者,再包装業者および再表示業者は,GMPに規定された条項を守らねばならないことを熟知していますか?

監査のポイント

　代理店,仲介業者,貿易業者,流通業者,再包装業者および再表示業者は,製造業者と異なり,最悪な場合はICH Q7を知らないで業務を行っている場合がある。ICH Q7,17条を熟知しているか,理解しているかの質問からはじめる。そして,各条項の適用,記録の充足,有無を確認する。

リスク・観察事項例

- ICH Q7に準拠した手順がない場合は,品質保証上の重大なリスク・観察事項になる。
- 関連する記録がない場合も,GMPコンプライアンス・品質保証上の重大なリスク・観察事項である。

17.5 安定性

17.50 原薬・中間体を当該原薬・中間体の製造業者が使用したものと異なる形態の容器に再包装した場合には，指定された使用期限日又はリテスト日を正当化するための安定性試験を実施すること。

監査の視点

照査する文書例：①再包装のSOP，②安定性試験計画（プロトコール），③使用期限，リテスト日の設定基準

質問例

- 再包装のSOPを見せてください。
- 安定性試験実施の要否が規定してある条項を提示してください。
- 安定性試験計画（プロトコール）と結果を見せてください。
- 使用期限・リテスト日の設定フローを示してください。
- 再包装の実施工程はベリフィケーションしましたか？
- 汚染防止のためにとっている手段は何ですか？

監査のポイント

包装容器の材質・容量と原薬・製品との関係で，原薬・製品の安定性は変化が予想されると同時にリスクとなる。また，原薬・製品を再包装する事象もまたリスクである。多くの場合，元の包装形態に対して付与されていた使用期限日またはリテスト日と同じ使用期限日またはリテスト日が設定されることが多いが，監査では，再包装の行為・再包装された容器の材質が，使用期限日またはリテスト日に影響を及ぼしていないか検証していることを確認する。特に，包装のベリフィケーションと安定性試験結果を確認する。

リスク・観察事項例

- 再包装の手順が文書化されていない，再包装のベリフィケーションがなされていない場合は重大なリスク・観察事項になる。
- 安定性試験が実施されずに使用期限日またはリテスト日が設定されている，もしくは設定されるSOPになっている場合は，品質低下の重大なリスク・観察事項になる。

17.6 情報の伝達

17.60 代理店，仲介業者，流通業者，再包装業者又は再表示業者は，原薬・中間体の製造業者から受けた全ての品質又は規制上の情報を顧客に伝達すること，及び顧客からの該当情報を当該原薬・中間体の製造業者に伝達すること。

17.61 原薬・中間体を顧客に供給する代理店，仲介業者，貿易業者，流通業者，再包装業者又は再表示業者は，当該原薬・中間体の製造業者の名称及び供給したロット番号を記録すること。

17.62 代理店は，規制当局の求めに応じて，原薬・中間体の製造業者名を提示すること。

当該製造業者は，認可された代理店との法的関係次第で，規制当局に対し，直接対応する場合，又は，認可された代理店を通して対応する場合がある。（本項でいう「認可された」とは，製造業者によって認可されたことを意味する。）

17.63 第11.4章にある試験成績書に関する規定に適合すること。

監査の視点

照査する文書例：①情報伝達に関するSOP，②出荷リスト，③原薬・中間体の製造業者の情報

質問例
- 原薬・中間体の製造業者より送られた情報を顧客に，顧客から得た情報を原薬・中間体の製造業者に連絡する手順を示してください。
- 遅延なく情報を伝えていますか？
- 原薬・中間体の製造業者の情報（住所，GMP適合性，持続性等）を入手，もしくは現地で確認していますか？
- 原薬・中間体の製造業者が発行したCoAが正確であることを確認していますか？

監査のポイント

　GMPでは，中間体・原薬・製品の製造所は，原材料の製造所を評価・認証しておかねばならないことが規定されている。このため，監査では，代理店，仲介業者，流通業者，再包装業者または再表示業者が，正確な原材料の製造所の情報を提供する責任と義務がある。そのために迅速かつ正確に情報伝達がなされていることを確認する。

　当該原材料，原薬・中間体の製造業者の名称および供給したロット番号・再包装した数量を正確に記録として残しているかを確認する。代理店，仲介業者，流通業者，再包装業者または再表示業者に取扱っている原材料のすべての開示を求めることはできない

が，監査では該当する原材料の情報を確認する。

開示を拒否された場合は，DMFに記載もしくは当局に届け出てある原材料の代理人を介して情報の記述の確認を行う。

> **Check**
> ### ✓ リスク・観察事項例
>
> - 代理店，仲介業者，流通業者，再包装業者または再表示業者が，情報伝達の手順を持たない・実施していない場合はコンプライアンス上の重大なリスク・観察事項になる。
> - 代理店，仲介業者，流通業者，再包装業者または再表示業者が当該原材料・原薬・中間体の製造業者の名称および供給したロット番号・再包装した数量を記録していない場合は，データインテグリティ欠如のリスク・観察事項である。
> - 参考であるが，製造所がDMFに記載／当局に届け出てある原材料の代理人を介して情報の記述の確認を行う，もしくはDMFに記載／当局に届け出てある原材料の代理人が，代理店，仲介業者，流通業者，再包装業者または再表示業者の情報の伝達，原材料，原薬，中間体の製造業者の名称および供給したロット番号・再包装した数量を正確に記録しているかの確認を怠った場合も，データインテグリティ欠如のリスク・観察事項になる。

17.7 苦情及び回収の処理

17.70 代理店，仲介業者，貿易業者，流通業者，再包装業者及び再表示業者は，自らに向けられた全ての苦情及び回収に関して，第15章で規定されているような苦情記録書及び回収記録書を保管すること。

17.71 状況が許せば，代理店，仲介業者，貿易業者，流通業者，再包装業者又は再表示業者が苦情を受けた場合には，その原薬・中間体を受け取った可能性のある他の顧客又は規制当局もしくはその両者に対して，更なる措置を講じるべきかどうかを決めるために，当該原薬・中間体の製造業者と共に当該苦情を照査すること。苦情又は回収の原因についての調査は，適切な部署が実施し，記録すること。

17.72 苦情が製造業者に関係する場合，代理店，仲介業者，貿易業者，流通業者，再包装業者又は再表示業者が保管する記録には，原薬・中間体の製造業者から受けた当該苦情に係る全ての回答（日付及び提供された情報を含む）を含めること。

監査の視点

照査する文書例：①苦情SOP，②改修SOP，③過去3年間の苦情のリスト，④苦情処理の記録書，⑤回収の記録

[質問例]
- 該当するSOPを見せてください。
- 回収のフロー，手順を示し，説明してください。
- 回収の判断を行うのは品質部門の責任者ですか？　経営責任者ですか？
- 回収の基準はどのように記述してありますか？
- 回収の実績はありますか？　ある場合，そのときの記録を提示してください。また，根本原因調査報告書とCAPAの記録を見せてください。
- 回収の訓練は行いますか？

 ## 監査のポイント

　代理店，仲介業者，貿易業者，流通業者，再包装業者および再表示業者は製造所ではないが，自らが出荷した中間体・原薬・製品に関して苦情を受けることがある。ICH Q7には，代理店，仲介業者，貿易業者，流通業者，再包装業者および再表示業者にもGMPの運用を要求している。このため，当事者として苦情を取扱わなければならない。

　代理店，仲介業者，貿易業者，流通業者，再包装業者および再表示業者が，ICH Q7の適用を受けていることを確認する。

リスク・観察事項例

- 市場より寄せられた苦情をすべて記録していない場合は，重大なリスク・観察事項である。
- 同一ロット内で繰り返し同じ苦情が発生することを放置し，回収の検討を行わない場合は重大なリスク・観察事項である。

17.8 返品の処理

17.80 返品は,第14.52章で規定されているとおり処理すること。代理店,仲介業者,貿易業者,流通業者,再包装業者又は再表示業者は,返品された原薬・中間体に係る文書を保管すること。

監査の視点

照査する文書例：①返品された中間体,原薬,製品の取扱いSOP,②返品のログブック

質問例
- 返品の取扱いは文書化してありますか？
- 返品は隔離保管してありますか？
- 返品のログブックとその最終処分を記録したログブックを提示してください。

監査のポイント

「14.5返品」(p186)で解説したように,中間体,原薬,製品が返品される際には,事故等の理由があることが前提である。この理由に基づき,返品は区別しての保管が必要であり,少なくとも返品を示すラベルを添付して,適合品とは区別しなければならない。品質に対する苦情に関連した返品の場合は,速やかに元の製造所に連絡して情報を共有することが必要であり,その連絡体制が整っているか,SOPに記述してあるかを確認する。また,倉庫に返品のための隔離された施錠可能な区画が備わっているかを確認する。

リスク・観察事項例

- 返品の取扱いSOP,返品の受入SOP,区分保管の設備がない場合は,不適合品が再度出荷されてしまう可能性があるリスク・観察事項になる。
- 返品に関する記録がない,保管されていない場合は重大なリスク・観察事項になる。

18

細胞培養・発酵により生産する原薬のガイドライン

18.1 一般事項

18.10 第18章は，前章まででは適切に網羅していない天然生物体又は組換え生物体を使用し，細胞培養又は発酵により生産する原薬・中間体に特異的な管理について記述している。ただし，独立の章としてあるものではなく，全般的には，本ガイドラインの他の章に規定されるGMPの原則が適用される。低分子を製造するための「クラシカルな」工程における発酵の原則と，蛋白質又はポリペプチドを製造するために組換え及び非組換え生物体を用いる細胞培養・発酵の原則は，その管理の程度が異なっているものの，同じであることに留意されたい。実際として，本章ではこれらの違いについて記述している。一般的に，蛋白又はポリペプチドを製造するために用いられるバイオテクノロジー工程における管理の程度は，クラシカルな発酵工程の管理の程度より厳格である。

18.11 「バイオテクノロジー工程（バイテク）」とは，原薬製造のために，組換えDNA，ハイブリドーマ，その他の技術により産み出された又は変化させた細胞又は微生物の使用をいう。バイオテクノロジー工程により製造された原薬は，通常，例えば蛋白質及びポリペプチドのような高分子物質であり，本章ではそれらに係るガイドラインを示す。なお，抗生物質，アミノ酸，ビタミン，炭水化物類のような，低分子の原薬も，組換えＤＮＡ技術により製造される場合があるが，この類の原薬の管理レベルは，クラシカル発酵の場合に求められる管理レベルに類似している。

18.12 「クラシカル発酵」とは，天然に存在する，又はコンベンショナルな手法（例えば，放射線照射，化学的に引き起こした変異）により変化させた微生物を使用する原薬製造工程をいう。「クラシカル発酵」により製造された原薬は，通常，抗生物質，アミノ酸，ビタミン，炭水化物類のような低分子物質である。

監査の視点

照査する文書例：①標準書，②管理基準書，③工程図

質問例

- 低分子化合物を製造する"クラシカルな発酵工程"ですか？　ペプチドまたはポリペプチドを製造するために用いられる"バイオテクノロジー工程"ですか？
- 培養装置はシングルユースですか？　固定装置ですか？
- 管理基準書を示してください。
- 重要工程・規格の管理は，"クラシカルな発酵の管理手法"を用いていますか？
- 遺伝子組換えの場合，封じ込め装置が導入されていますか？

 監査のポイント

　ペプチドまたはポリペプチドを製造するために用いられるバイオテクノロジー工程は，より厳格な管理，特に封じ込め等が要求される。また抗体医薬，生物学的医薬品では封じ込めが求められる。そのため，漏出した事故を想定した封じ込めの訓練が求められる。

> **リスク・観察事項例**
>
> - バイオテクノロジー工程でありながらも，管理方法が"クラシカルな発酵の管理手法"の場合は，品質上および作業者汚染のリスク・観察事項である。
> - 漏出事故を想定した，封じ込めのクラスに即した模擬訓練がなされていないことは，潜在リスクを持つため観察事項である。

> 18.13 細胞培養又は発酵からの原薬・中間体の製造には，細胞培養又は生物体からの物質の抽出及び精製等の生物学的工程が含まれる。物理化学的修飾等の更なる工程段階が存在する場合があるが，これも製造工程の一部であることを留意されたい。使用する原料（培地，緩衝剤成分）は微生物汚染を増大させるおそれがある。供給源，調製法及び原薬・中間体の目的用途によって，製造及び工程の適切な段階でのモニタリングにおいてバイオバーデン，ウイルス汚染やエンドトキシンの管理が必要である。

監査の視点

照査する文書例：①原料（培地，緩衝剤，pH調整剤）の規格，②工程管理基準（微生物，エンドトキシン），③原料の受入試験結果，④工程検査結果，⑤工程試験逸脱処理SOP，⑥逸脱のログブック，⑦年次照査の記録

[質問例]
- 製造工程（培養発酵から製品取得）はすべてバリデートされていますか？
- すべての工程で微生物汚染対策がなされていますか？ 特に抽出，カラム精製，再結晶等の工程管理で，汚染防止がなされていますか？
- バイオバーデン，ウイルス，エンドトキシンの検査は，作業前，作業中，作業終了後いずれも行いますか？
- 原料の試験項目には，微生物，ウイルス（特に生体由来），エンドトキシンが含まれていますか？ その規格値を示してください。
- バイオバーデン，ウイルス，エンドトキシン試験結果が異常・逸脱したときの手順を示してください。
- 既知でない微生物・ウイルスが検出された場合，同定検査を行いますか？

監査のポイント

　細胞培養・発酵により生産する原薬は，発酵等で生産された後，抽出，精製，再結晶等の物理化学的な手法を経て得られる。この物理化学的手法も細胞培養・発酵により生産する原薬に含まれ，微生物等の汚染防止を怠ってはならない。この発酵以降の工程に関しての汚染対策を調査する。

　汚染源は，工程由来ならびに原料に依存する。このため，微生物，ウイルス，エンドトキシンの検査を行い，汚染を防止・管理しているかを調査する。

リスク・観察事項例

- 原料の微生物，ウイルス，エンドトキシンの検査を行っていない場合は，品質低下・安全性上の重大なリスク・観察事項になる。

18.14 中間体・原薬の品質を確保するために，生産の全ての段階で適切な管理を確立すること。本ガイドラインの適用は細胞培養・発酵の段階から始まるが，前段階，例えば細胞バンク作製は，適切な工程管理の下で実施すること。本ガイドラインは，細胞バンクのバイアルを製造に使用するために取り出した時点からの細胞培養・発酵を対象とする。

18.15 汚染のリスクを最小限にするために適切な装置管理及び環境管理を採用すること。環境管理上の判定基準及びモニタリングの頻度は，製造の段階及び製造条件（開放，閉鎖又は準閉鎖システム）による。

監査の視点

照査する文書例：①細胞バンクの管理手順，②予備培養手順，③クリーンエリアの維持管理手順

質問例
- 管理基準はどの範囲を含みますか？　その範囲は，細胞バンクからの取り出し，再生・馴化を含みますか？
- 汚染防止のための管理基準を示してください。
- 管理基準・モニタリングの頻度は，製造条件のリスク評価に基づいていますか？
- 細胞バンクの作製法を示してください。

監査のポイント

　細胞バンクの維持管理は培養・発酵の根幹になるため，厳格な管理かつ汚染防止の手段が求められる。特に細胞バンク作製時，保管において，品質に影響がある環境におくことは，均一な品質の原薬を製造するうえでのリスクとなる。また，培養は細胞バンクより取り出したところが基点となり，常温に戻す，予備培養を開始すること自体がすでに培養工程の一部とされるため，汚染防止の手段が要求される。

　培養・発酵の誘導期より汚染防止の手段がとられているか，またその手段が効果を示しているかを確認する必要がある。その頻度は，施設の要求項に準拠して行わねばならない。非開放系の培養容器であれば，容器の気密性に準じてモニター頻度は頻繁ではないが，クリーンエリア内の開放系の容器では，モニター頻度はより頻繁になる。定められた頻度で，汚染防止対策が有効に機能しているかという点が監査での調査項目である。頻度を定めたバリデーション結果が確認の対象になる。

リスク・観察事項例

- 管理範囲が細胞バンクより始まることが規定されていない場合，品質の安定性・安全性のリスク・観察事項になる。
- 管理基準が，製造工程のリスク評価（開放，準開放等）に基づいて決められていない場合は，環境汚染・作業員曝露・品質低下のリスク・観察事項である。

18.16 一般的に工程管理には以下の事項を考慮すること：

- ワーキング細胞バンクの保守（必要な場合）；
- 適切な接種及び培養の拡大；
- 発酵・細胞培養の間の重要な作業パラメータの管理；
- 必要な場合には，細胞増殖，生存率（ほとんどの細胞培養工程について）及び生産性のモニタリング；
- 中間体・原薬を汚染（特に微生物汚染）及び品質低下から保護しながら，細胞，細胞残渣及び培地成分を除去するハーベスト及び精製手順
- バイオバーデン，及び必要な場合にはエンドトキシンのレベルについて，製造の適切な段階でモニターすること；
- ICH Q5A ガイドライン「ヒト又は動物細胞株を用いて製造されるバイオテクノロジー応用医薬品のウイルス安全性評価」に記載されたウイルス安全性に関する事項

18.17 必要な場合には，培地成分，宿主細胞の蛋白質，その他の工程に関する不純物，製品に関する不純物及び汚染物の除去を立証すること。

監査の視点

照査する文書例：①細胞バンク作製手順，②細胞バンク管理基準，③ワーキングセルの取扱いSOP，④母細胞・株の細胞バンク，保管中の安定性試験，保管中の母細胞・株の活性確認試験結果

質問例

- 保存条件下での有効期限を設定していますか？ その有効期限はどのようにして設定しましたか？
- 保存期間中，活性・生存は定期的に確認していますか？
- 保存には助剤を用いていますか？

監査のポイント

工程中汚染防止は当然であるが，汚染をいかに迅速に，正確・確実に検出できるシステムが組み込まれているかを確認する。ワーキングセルの管理，培養工程管理で，リスクに基づいて管理値が設定されているかを確認する。また，保存を安定・確実にするためリスク分析を行い，リスク低減策にどのような手順を採用しているかを確認する。リスク低減のための手順の有効性，継続モニターを行っており，低減策がワーストケースを想定しているか，また不測の事態（細胞バンクの消滅）に対応する手段をもっているかも重要となる。

リスク・観察事項例

- 汚染を迅速に，正確・確実に検出できるシステムがない場合，環境汚染，作業員曝露，品質低下，不純物の変動等のリスク・観察事項である。

18.2 細胞バンクの保守及び記録の保管

18.20 細胞バンクの取扱いは許可を受けた担当者に限定すること。

18.21 細胞バンクは，生存率を維持し，汚染を防止するように設計した保管条件で維持管理すること。

18.22 細胞バンクからのバイアルの使用及び保管条件についての記録を保管すること。

18.23 必要な場合には，細胞バンクは使用適合性を判定するために定期的にモニターすること。

18.24 細胞バンクに係る詳細については，ICHQ5Dガイドライン「生物薬品（バイオテクノロジー応用医薬品／生物起源由来医薬品）製造用細胞基剤の由来，調製及び特性解析」を参照のこと。

監査の視点

照査する文書例：①細胞バンク管理手順，②細胞バンクの管理記録，③細胞バンクの使用記録，④細胞バンクの保存安定性試験もしくは保存中の活性測定法

|質問例|
- 保管中の細胞の活性はどのように保証されますか？
- 安定性を保証するためにどのような予防手段をとっていますか？
- 保管条件はどのように設定しましたか？
- 細胞バンクは，関係者，承認された人員以外がアクセスできないように管理されていますか？
- 添加剤を使用しているならば，添加剤の細胞に及ぼす影響（遺伝子変化を含む）は検証しましたか？
- 保管中の活性に関するアラートアラームは設けてありますか？
- 不測の事態に備えて，予備の細胞バンク，SOPはありますか？

監査のポイント

　細胞バンクは，培養における根幹である。この細胞バンクを保管する条件（保管温度範囲，保護のための添加剤の利用の有無，保証保管期間，保管中の定期的活性等）の検証は，リスク管理の観点から最優先項目である。特に活性を維持すること，突然変異を防止（遺伝子固定）することは，研究・開発段階でバリデートして決めておくべき条項である。実運用時には，管理状況下で期待した（制定された）値が維持されていることを定期的に検証してあることが期待される。また，有効（保管）期限は，検証しておかねばならない。ディープフリーズ条件であっても，無制限の有効期限は認められない。適正な保管期限とその検証結果が文書化されていなければならず，また経時的に活性をモニターして，活性が閾値以上であることを確認していくことが求められる。この場合，活性は生産活性のみならず遺伝子の変異限度を含むものである必要がある。保管中の活性・生産能低下，遺伝子変異を防ぐために，乾燥，もしくは添加剤を加えることがあるが，その有効性を検証していることも必須である。

　保存中に活性が低下，もしくは遺伝子変異が起きた場合の対応策・基準が文書化されていなければならないので，その文書をSOP内で調査する。近年，悪意による母細胞の漏出が懸念されるため，その対策が求められる。

リスク・観察事項例

- 細胞バンクの保存条件がバリデートされていない場合は，事業継続性と品質低下（変異による不純物組成の変化）のリスク・観察事項である。
- 定期的な検証が行われてない場合は，遺伝子変異を検出できないリスク・観察事項となる。

18.3 細胞培養・発酵

18.30 細胞基材，培地，緩衝液及び気体の無菌的な添加が必要な場合，可能であれば，閉鎖系又は封じ込めシステムを使用すること。最初の容器への接種やその後の移送又は添加（培地，緩衝液）を開放容器で行う場合には，汚染のリスクを最小限にするための管理及び手順を備えること。

18.31 微生物汚染により原薬の品質が影響を受けるおそれがある場合には，開放容器を使用する作業は，バイオセイフティ・キャビネット又はこれと同様に管理された環境のもとで行うこと。

18.32 作業者は適切に着衣を着用し，培養工程を取扱う上で，特別な注意を払うこと。

18.33 重要な運転パラメータ，例えば，温度，pH，撹拌速度，気体の添加，圧力等は，設定した工程との一致を保証するためにモニターすること。また，細胞増殖，生存率（ほとんどの細胞培養工程について），さらに，必要な場合には生産性もモニターすること。重要なパラメータは，工程ごとに変動するものであるが，また，クラシカル発酵については，ある種のパラメータ（例えば細胞生存率）はモニターする必要はない。

監査の視点

照査する文書例：①無菌工程管理基準，②無菌更衣バリデーションのプロトコールと報告書，定期的な無菌更衣ベリフィケーションの記録，③無菌設備のクオリフィケーション報告書，④定期的な無菌ベリフィケーションの結果，⑤培養精製装置のDQ（汚染防止対策），汚染防止管理基準・SOP，⑥製造工程管理；微生物活性・生菌数のモニタリング結果

質問例
- 製造装置の設計思想を簡単に説明してください。
- 汚染防止の重要装置・場所を示してください。
- 混入防止・汚染防止のために特別な装置を採用していますか？
- 従業員の衣服からの汚染防止は検証されていますか？　その合格基準を示してください。

監査のポイント

装置（ハード）面，作業（ソフト，人）面から，汚染防止が講じられているかに注目して監査を行う。特に，培地・株が外気に接触する工程での汚染防止の措置がどのように準備されているかを調査する。ラミネートフロー，グローブボックス等の密閉型装置内での，外気との接触が設計されているかを検証する。

汚染源の上位に作業員（特に衣服）があげられるため，更衣の手順は定期的にベリフィケーションが求められる。

工程管理は継続的にモニタリングすることが求められ，培養工程は化学品の製造とは異なり，工程の管理パラメータの微妙な変動で，生成物・製造物への影響が推定される。特に不純物プロファイルへの影響が推測されるために，モニタリングの実施は重要である。監査ではこの確認が必要になる。

>
> ### リスク・観察事項例
>
> - 更衣のベリフィケーションが規定されていない場合は，品質低下・交叉汚染のリスク・観察事項となる。
> - 製造設備のDQにおいて，汚染防止が不十分であれば，品質低下・交叉汚染のリスク・観察事項もしくは推奨事項になる。
> - 外気に接触する工程が，管理された設備内で行われない場合は環境汚染等のリスク・観察事項になる。
> - 工程管理で，クリティカルな工程，パラメータが設定されていない，管理されていない場合は，品質低下・交叉汚染のリスク・観察事項である。

18.34 細胞培養装置は，使用後に，清掃し，滅菌すること。また，発酵装置は，必要な場合には，清掃するとともに，衛生的な状態にするか，又は滅菌を行うこと。

18.35 培養培地は原薬の品質を保護するために適切な場合には使用前に滅菌すること。

18.36 汚染を検出し，取るべき措置の方針を決定するために適切な手順を備えること。

当該手順には，製品に対する汚染の影響を判定するための手順及び装置から汚染を除去し次のロットに使用する条件に戻すための手順が含まれること。発酵工程の間に観察された混入微生物について適切に識別を行い，必要ならばそれらの存在が製品の品質へ及ぼす影響を評価すること。当該評価の結果は生成物の処置の際に考慮すること。

18.37 汚染事実の記録は保管すること。

18.38 共用装置（多品種製造）では，交叉汚染のリスクを最小限にするために，製品の一連の期間製造（キャンペーン製造）の間に，適切に，清掃後の追加試験が要求されることがある。

監査の視点

照査する文書例：①無菌管理基準，②洗浄工程に関するリスクアセスメント報告書，③装置の洗浄SOP，殺菌SOP，④残留許容基準，⑤洗浄記録，殺菌確認記録，⑥廃液の不活性化のSOP，⑦原料・培地の管理基準・準備SOP，⑧工程管理（バイオバーデン）試験記録

質問例
- 培養装置の管理手順を示してください。
- 使用後の洗浄・殺菌方法を示してください。この手順はリスクアセスメントを行って準備されましたか？
- リスクアセスメントの報告書を示してください。
- 培養装置の外部，内部からの汚染防止のSOPと予防法を示してください。
- 汚染のホットスポットは特定されていますか？

監査のポイント

　培養工程の準備段階（培養前），培養中，培養終了後の洗浄・殺菌の手順が，リスクベースで制定されているかが監査対象になる。特に手順を制定するために，準備段階（培養前），培養中，培養終了後の工程でリスクアセスメントを行って，リスクを特定，ホットスポットを見出しているか，また，リスクに対する予防措置（汚染防止）と汚染が検出された際の緊急措置が準備されているかを調査する。汚染（混入）が検出された際，最大限拡大・継承を防止することに着目しているかが最大の懸念事項である。

　汚染防止のため，その時点での工程の停止，拡大した範囲内の殺菌作業を行う準備があるかないかで，製造所のリスク管理意欲が推測される。その場の殺菌は，汚染の再発につながることを念頭に監査を行う。

リスク・観察事項例

- 準備段階（培養前），培養中，培養終了後の洗浄・殺菌の手順がない場合は，品質低下・交叉汚染の重大なリスク・観察事項である。
- 準備段階（培養前），培養中，培養終了後の洗浄・殺菌の手順が備わっているが，リスクベースでない，予防措置を広く行うことが規定されていない場合は，品質低下・交叉汚染のリスク・観察事項となる。

18.4 ハーベスト，分離及び精製

18.40 細胞又は細胞組成物を除去する，又は，細胞破壊後の細胞組成物を採集するハーベスト工程は，汚染のリスクを最小限にするために，設計した装置及び区域で行うこと。

18.41 製造に用いた生物体，細胞残渣及び培地成分を除去又は不活化するハーベスト及び精製の手順は，分解，汚染及び品質の低下を最小限にしながら，中間体・原薬を一定した品質で得ることを保証するために適切なものとすること。

18.42 全ての装置は，使用後適切に清掃するとともに，適切な場合には消毒を行うこと。なお，中間体・原薬の品質が低下しない場合には，清掃なしで多数の連続ロットの製造に利用する場合がある。

18.43 開放システムを使用する場合，精製は製品の品質を保持するのに適切に管理した環境条件で実施すること。

18.44 装置を複数の製品に使用する場合，専用クロマトグラフィー用樹脂の使用，追加試験等，追加的な管理が適切な場合がある。

監査の視点

照査する文書例：①ハーベスト工程の作業手順，②クリーンゾーン管理の平面図，動線，③使用機器リストと専用・兼用の表示，④機器の洗浄SOPと残留許容基準，⑤汚染防止策，汚染の許容基準，⑥汎用機器の洗浄バリデーション，殺菌バリデーションの計画書と報告書

質問例
- 培養終了後のハーベストの手順を示してください。
- 交叉汚染防止策を示してください。
- 併用機器，特にカラム洗浄方法・洗浄確認法と残留許容基準を示してください。この基準根拠とリスク評価報告書を示してください。
- 過去2年の洗浄記録と洗浄確認記録を示してください。

監査のポイント

培養中は，無菌操作等で汚染防止が図られるが，培養後の活性物質等の分離操作時には汚染の可能性が高まる。特に培養液を破砕・ろ過・遠心分離，塩析・透析等の物理化学的操作に移る際，無菌性が破られることになる。培養後も培養時と同じ管理基準が求められる。多くの場合，この境界での管理基準にギャップが生じるが，求めていること

は均一の基準での管理である。管理基準にギャップがあれば汚染の原因となる。製造所は，汚染防止のため終始同じ管理基準での汚染防止・品質の劣化防止（温度，好気性（酸素濃度））の適切な管理が求められる。さらに，使用する機器の交叉汚染防止に，十分な予防策，実行策が講じられているかが調査項目になる。

> **Check リスク・観察事項例**
>
> - 培養以降の工程での，汚染防止，交叉汚染防止対策が，明確に示されていない，残留許容基準が明文化されていない場合は，品質低下の重大なリスク・観察事項になる。
> - 汎用機器の洗浄バリデーション・ベリフィケーション，洗浄記録・残留許容基準が文書化されていない場合は，品質低下・交叉汚染の重大なリスク・観察事項になる。

18.5 ウイルス除去・不活化

18.50 ウイルス除去・不活化段階に係る詳細については，ICH Q5Aガイドライン「ヒト又は動物細胞株を用いて製造されるバイオテクノロジー応用医薬品のウイルス安全性評価」を参照のこと。

18.51 ウイルス除去及びウイルス不活化段階は，工程において重要な処理段階であり，バリデーションを行ったパラメータの範囲内で実施すること。

18.52 ウイルス除去・不活化の前段階から後段階へのウイルス汚染のおそれを防止するために適切な予防措置を講じること。そのために，開放処理は，他の処理作業を行う区域と分離され，かつ，独立した空気処理ユニットを備えた区域で実施すること。

18.53 通常，異なる精製段階には，同じ装置は使用しない。同じ装置を使用する場合には，当該装置は，使用の前に，適切に清掃し，消毒すること。前段階からのウイルスのキャリーオーバー（例えば，装置又は環境を通して）のおそれを防止するために適切な予防措置を講じること。

監査の視点

照査する文書例：①リスク管理に基づく対象危険生命体の定義文書，リスク評価ならびに管理手順，②ウイルス除去・不活性化のバリデーションプロトコールと報告書，③ラミナーフロー等の封印可能な施設，設備の汚染防止のクオリフィケーションプロトコールと報告書，④ウイルス除去・不活性化のSOP，⑤施設，設備の清掃・消毒のSOPとその根拠となるバリデーションプロトコールと報告書

|質問例|

- 危険生命体として，どのような生命体を定義していますか？ ウイルスは，生体内外に存在するものを含みますか？ BSEやスクレイピーを含みますか？
- 危険生命体の試験法は，レトロウイルス試験，*in vitro* / *in vivo* 試験，抗体産生試験を含みますか？
- 汚染防止のための不活性化，消毒，洗浄の確認は上記の試験法を用いますか？
- 試験結果が出るまでの期間，設備・施設はどのように保全しますか？
- 交叉汚染防止のためどのような設備が設けられていますか？ HEPA，高性能水フィルターはクオリフィケーションしていますか？
- 使用前後に性能試験を行っていますか？
- 汚染の可能性があるホットスポットは明確化されていますか？

監査のポイント

　製造所が行うリスク分析では，対象となる危険生命体をウイルスに限定するか，それも既知のウイルスにするか，拡大して既知・未知を問わずすべてのウイルスを対象にするかをたずね，製造所の考え方を問う。また，ウイルス以外にBSE等も含めるかが争点になる。BSEは，すでに危険性が既知であるので，工程中混入の可能性があれば除くことは根拠が必要と判断する。

　期待するリスク管理である"製造工程中にどのようなウイルスが迷入してきても，精製工程がウイルスを除去できる十分な能力を有することを評価する"ということは，現実的には，未知のウイルスの混入・危機を対象にするのではなく，"どのような既存ウイルスが混入してくるかが未知"という条件での管理の実施が求められる。既存の科学知識の範囲内にあるウイルスのいずれかが混入する条件で，ウイルスを除去する能力を評価することで，核酸の種類，エンベロープの有無，粒子サイズ，物性等の異なる3種類程度のモデルウイルスを適切に組み合わせて精製工程のウイルス除去試験，環境からの汚染防止試験を行えば，既存のすべてのウイルスの除去，防除能力を検証したことになり，"安全性確保を図る"ための検証になる。

ウイルス除去方法には万能な方法はなく，個々のウイルスに適した除去法を検証して採用する必要がある。過去にウイルスの汚染の経験がない場合，ウイルスの除去法が一般的に定義されていない場合は，検証が不十分と考えられる。また，有効でない方法が記述・規定されている場合がある。この対応として，有効性の検証を行ったかをたずねることが必要となる。

> **Check**
> ### リスク・観察事項例
> - ウイルス以外のBSE等の危険生命体が混入する可能性があるにもかかわらず，対象としていない場合はGMPコンプライアンス上の重大なリスク・観察事項になる。
> - 除去に使用するフィルターの性能（完全性）試験が使用前後で行われていない場合は，品質低下・交叉汚染のリスク・観察事項である。

4章

リモート・バーチャル GMP監査と文書監査

> **key note**
>
> 　2020年に発生した新型コロナウイルス感染症（COVID-19）のパンデミックの影響は，製薬業界におけるGMP監査にも及んでいる。2020年3～4月より，米国FDAは国内外の査察を緊急の場合を除いて中断することを発表し，その後7月に米国内に限り事前通告を行いながら，査察を徐々に再開してきた。2020年4月以降，EMA/MHRAも含めて海外の規制当局はパンデミックとそれに伴う渡航制限を受け，製薬企業に対してリモート評価／リモート査察を実施し始めた。
>
> 　本章では，COVID-19のみに限らず，リモート監査を行うための留意点について，2021年12月時点での知見に基づき，被監査側の準備を含めてリスクに基づく監査のノウハウを解説する。また，文書監査の手法についても紹介する。

リモートGMP監査の経緯と前提

 ## 実地監査が行えない状況

　当局の査察が延期，またリモートへの手法変更が行われる前，2020年2月頃から，製造所への実地監査の受け入れ辞退（言葉を換えれば，拒否）を顧客に通達，通告する医薬品，原薬，添加剤等の製造所が全世界規模で出てきていた。また，多くの国で渡航禁止，移動禁止の措置が取られ，物理的にも現地での監査ができなくなっていた。

　それに伴い監査の代替の手段が求められ，ITを活用してのリモート・バーチャル監査が一気に普及していった。特に2020年下半期は，多くの企業が顧客からの要望でリモート・バーチャル監査の受け入れを開始していた。しかしながら，地理的要因（時差），IT整備が進んでいないなどの事情で，日本では欧米ほどには浸透していなかった。

　また，並行して旧来から行われている書面監査が，日本では移動制限下ならびに被監査側の現地監査拒否の状況下，多くの製薬企業で採用されている。

 ## 文書監査とリモート・バーチャル監査のリスク

　リモートGMP監査・査察として現在，質問票を監査側が準備し，被監査部門・製造所が回答する，いわゆる文書監査と，実際の現地監査に代わる手段を用いてバーチャルな空間で監査をする手法がとられている。

　リモート監査では，透明性，網羅性に関してリスクが存在することを前提にしている。このことは，EMA，FDAともにコロナ禍で実地査察ができない状況での暫定手段として位置づけ，パンデミックが収束して現地査察が可能になれば，"リモート・バーチャル査察"の検証のために，現地査察を行うことを強調している。

　透明性，網羅性に関するリスクとは，リモート監査では，被監査側に情報開示の主導権があり，それに伴い監査側の求めている情報の開示が容易ではないことである。特にリモート監査では，監査員が可視可能な範囲が限定され，視野が狭くなることがあげら

れる。バーチャルでプラントツアーを行う場合，カメラに映る視野以上の光景を監査員は見ることができない。逆に，被監査側は見せたくない画面，状況は意図的に除くことができてしまい，現地監査では普通に行われる，近寄っての確認が，監査員の意思ではできないことになる。それは，文書監査でも同様である。特定の範囲の文書しか，監査員は見ることができない。またビデオ撮影という媒体を通しているため，文書が原本か，複写か，修正された文書かの判断はできない。さらにかなりのページ数のある文書を実地では流し読みで対応できたが，バーチャル監査では，1ページごとのビデオ撮影となり，限られた時間内に照査することが難しい。

　本書の5章で解説するが，電子データの照査にはコンピュータ操作を被監査側に依頼するため，監査員の意図通りのコンピュータ操作は極めて困難である。

　これらの難点・不都合（透明性，網羅性）に関してリスクが存在することを前提に，リモート監査を行うことになる。

2

リモート・バーチャル監査／査察の準備から実施まで

 ## リモート・バーチャル監査の定義

　「リモート・バーチャル監査」という用語は，オンサイト監査の要件を満たすために，最新のデジタル通信手段および情報技術を使用してオフサイトで実行される監査を意味する．実地との唯一の違いは，監査者がオンサイト（現地）に出向かないことである．

　しかしながらEMAもFDAも，"リモート・バーチャル査察"を新薬承認申請，GMPの認定更新の正式な手段として認めるとは，発出したQ&A，notificationでは明記していない．EMA，FDAともにコロナ禍の実地査察ができない状況での暫定手段として位置づけ，パンデミックが収束して現地査察が可能になれば，"リモート・バーチャル監査"の検証のために，現地査察を行うこととしている．

 ## リモート・バーチャル監査の準備，実施等に必要なことは？

　2021年12月現在，リモート・バーチャル監査の準備，実施に関して具体的な手法を示したガイドは発出されていないので，各社は手探りで行っているのが現実で，突然リモート・バーチャル監査を申し込まれ，戸惑っている状況が多々見受けられる．唯一，International Federation of Pharmaceutical Manufacturers & Associations（FPIA）が，"Points to Consider for Virtual GMP Inspections – An Industry perspective LAST UPDATED: 5 FEBRUARY 2021"を発出している．

　ここでは，このPoints to Consider文書に，筆者のリモート・バーチャル監査実施の経験を加えて，準備から観察事項の対応までの手順を解説する．

対象のリスト化と優先順位付け

　監査者は，リモート・バーチャル監査，文書監査を行う前には，これらを行う対象の製造所をリスト化することが求められる。さらに，対象となる製造所との契約（品質契約，Quality agreement），購買契約・売買契約，秘密保持契約（CDA））の内容を，特に監査実施権に関して事前に照査して，有効であることを確認することが必要である。

　このリストに，前回実施した監査の記録もリンクさせ，前回の監査からの有効性，再監査の優先度を数値化していく。またそれと並行し，製造所が生産・供給する原薬，医薬品原材料の重要性，リスクの大きさを数値化する。この重要度，リスク値から，監査の優先度，リモート・バーチャル監査を行うか，文書監査で対応するかを判定する。

　ここまでの工程は，EMA/FDA等の当局による査察準備も同様の手順が取られる。

 ## 時差等の考慮

　監査の実施希望の通知を行い，被監査製造所の受諾確認が行われる。実地監査とは異なり，監査者，被監査者は同じ地理的な状況にはないことが多々あることを念頭においておくこと。基本，被監査者の業務時間に合わせて，監査の時間帯（世界時間）を選ぶ。このため，日本から海外の製造所・所在国との間に時差がある場合，1日の監査時間は，日本もしくは海外の製造所・所在国の時間帯に合わせなければならず，自ずと大きく制約を受ける。この地理的，世界時間的制約の対策として，現地監査とは異なり，非連続での監査を検討することになる。例えば監査者が在日本，被監査者が在インドである場合，監査は日本時間の12：30開始が，インドの製造所の稼働開始時間9：00と一致する。このようにして，断続的な監査の日程，時間帯を決める。このことは，FDA/EMA当局の査察でも，同様である。この時差が，迅速な監査にはリスクとなることもある。

 ## 実施のための環境整備

　"Technology support and redundancy"（テクノロジーサポートと多元性・重複性（複数の関係者，場所からの参加対応））という用語から意図されるように，複数の監査者，陪席者の参加が可能となる。実施にあたっては多くの場合，最新のIT技術に依存するため，IT専門家にリモート・バーチャル監査に必要な機器・機材，通信環境の準備を依頼し，バーチャル監査中にテクノロジーの側面をサポートできるようにすることを強く勧める。また，EMA，FDAの当局のITサポートスタッフの協力を仰ぐこともお勧めする。

　場合によっては，両当事者が事前に合意した場合，監査側，被監査側は，IT関連会社が提供するオフィススペースとITサポートを利用することにより，バーチャル監査の実施を快適にできる場合がある。

さらに，リモート・バーチャル監査実施中の予期しない問題（Wi-Fi接続や携帯電話の使用に関する問題等）が発生した場合のIT多元性・重複性とバックアップ計画を，事前に準備することが求められる。

　例えば最高速度のブロードバンドを確保することである。これはサイトツアーでビデオを必要とする場合，撮影，質疑応答の可能性のあるすべての場面で利用可能にする必要があるからである。つまり，**安全で独自の通信チャネルを確立して，必要と思われる人がアクセスできるようにすること**。たとえば，複数の関係者のための個別の会議セッションに加えて，新しい会議のinvitationを毎日作成し，関係者に送ることも必要である。

　参考として，バーチャル監査に用いられる会議システムに関しては，FDAが3種のシステムを指定している。

- MicroSoft Teams
- Zoom for Government
- Adobe Connect

　GMP監査においては，多くの場合これらの採用が推奨される。

ビデオ技術

　ビデオ接続により，バーチャル監査中に個々が注視する施設，機器，箇所の照査が可能になる。監査側の製薬企業と，被監査製造所との間での合意に基づいて，安全なビデオプラットフォームを使用すること。このとき，**送受信できる情報の容量幅が十分であること**。複数の端末との接続が予想されるので，より多くの接続ができることが望まれるが，これはビデオ会議のディスカッション中に話をしない参加者，端末のカメラをオフにすることで対応できる。

　バーチャル監査では，プラントツアーもビデオ技術を用いて行うことになる。この場合，アジェンダに基づいて事前に撮影した製造場所，倉庫，品質試験室等の画面を監査側に提供するnon-live方式と，監査側の指示に基づき製造場所，倉庫，品質試験室等に出向くlive方式の2種の方法が一般的である。好ましくはlive方式が選択される。

　live方式では，スマートグラスに代表される装着型のカメラを被監査側のスタッフが装着して，監査側の指示に基づきプラントツアーを行うことになる。このバーチャルのプラントツアーを行うためには，製造場所，倉庫，品質試験室等においてビデオ撮影を中継できるWi-Fi環境を準備することが必須である。

　そして，スマートグラス等の準備も必要となる。スマートグラスの代替としては，ノートパソコン，タブレットの撮影機能を借用することも可能。いずれの場合も，事前にスマートグラス等の装着型カメラ，ノートパソコンを用いて撮影が可能かの予行演習が必須となる。

予行演習

予行演習では，次の点を確認すること。

1. Wi-Fiの接続性を確認する。バーチャル監査，プラントツアーで，ビデオの撮影者が移動する際，また部屋，通路，階段，エレベーターで移動する際，Wi-Fiの受信機のカバーする領域を離れ次の空間へ移動するとき，Wi-Fiの接続が瞬間的に切り替わるときに，連続的に接続しているかを確認すること。断続的になる場合は，再接続の手順を熟知しておくこと。
2. ビデオカメラで，接写が可能かの実地練習をする。このとき対象になる被写体としては，機器名，校正合格の帳票等があげられる。
3. ビデオカメラのバッテリーの有効時間を検討することが推奨される。実際にプラントツアーを行うと想定した経路を通り，充電が必要かを確認することが求められる。
4. マイクの感度も確認する。被監査での対応者と通訳者の位置を想定して，その想定位置での会話がマイクで拾えるか確認する。
5. ビデオカメラの撮影条件の確認。撮影場所で，電源がカメラに映りこむ，太陽光の窓からの差し込み，鏡，白色の壁からの反射光で画面がハレーション（白化）を起こさないように，光源を調整する。
6. 部屋間の温度差によって，移動の際にレンズの曇りが生じないかの確認と，曇ったときの対策としてのレンズを拭く布の準備。
7. 最後に，プラントツアーを記録（録画）することができているかを確認する。

 ## ドキュメントの共有

リモート・バーチャル監査では，すべての文書，記録類を，画面上で照査することになる。もしくは文書記録類を電子媒体で提供するため，電子媒体での共有化の準備が必要である。

一般に，記録類を電子媒体で提供することは，守秘の関係と情報流出のリスクが高いため採用されることは少ないが，FDAはこの方式をリモート査察の手順に加えている。いずれの状況においても，ドキュメントの共有手法，ファイルおよび情報の転送のための安全な経路を特定し，監査側と被監査側での合意が必要とされる。合意が得られた後，情報共有化のソフトをインストールすることになる。

被監査側としては，手順書，記録の提供は避けたいことが多くあるため，文書の共有化ではなく，画面の共有化という手段で瞬間的な文書記録の開示を行うことで，双方での合意が得られるように粘り強い協議が求められる。合意が得られれば，会議システム（MicroSoft Teams，Zoom等）に付属する"共有"の機能を用いて，文書等を共有して監査を行うことになる。

この会議システムを用いての文書の共有化に合意が得られず，監査側が事前等の文書の共有化を望んだ場合は，事前に，またはオンサイト監査の代わりに文書を共有するために確立された規則と同じ規則に従うことになる。情報交換のための安全な経路を確立することには，監査側と被監査側の間で「安全な」電子メールクライアントとして確立することが必要である。またファイルの種類とサイズに適切な機能を備えたWebベースのポータルを使用することも含まれる。最後に，**ドキュメントへのアクセスと可用性の保持／期間・印刷・コピー機能の制限を定義し，合意すること**。

ITシステムの事前テスト等がおわり準備が整ったら，監査の1週間前に接続テストを行うことを強く推奨する。接続テストには，監査側と被監査側の参加するすべてのリモートサイトを含めることが必須である。

接続テストには，次の要素を含めること。
- セキュリティ／オンラインポータルへのアクセス
- 電話またはビデオ会議の通信容量
- 画面共有機能
- Wi-Fi信号強度
- コンピュータのハードウェアと接続性
- 環境ノイズの強度（エアコン等）
- 通訳がリモートで行われるときは，通訳者とも模擬テストを行うこと

リモート・バーチャル監査実施の準備と実施手順

リモート・バーチャル監査の準備は，ITシステムの事前テストを除いて，オンサイト監査と同じである。

まずは監査側は，オンサイトの監査と同様にアジェンダを準備して，被監査側に提出する。オンサイトの監査とは異なり，実際の製造場所，倉庫，品質試験室等の位置関係を感じ取ることが困難になることは否定できないため，事前に被監査製造所の全体の平面図，設備，機器等の配置図の提供を要求する。また，google map等の機能を用いて，被監査側の周辺の環境を調査することを推奨する。

> **Check ビデオ撮影の技術**
>
> オンサイトの監査とは異なり,ビデオ撮影の視野は意外と狭く隅から隅までを撮影することはできず,中心に集中するとともに,細かい表示等は見落としがちになる。この対策として,時間はかかるが,常にゆっくりとした歩調でのビデオ撮影が行われるように被監査側に要望する。そのようにビデオ撮影が進むように促すのも監査の技術になる。逆に,被監査側がビデオ撮影を急かすようでは,何か見せたくない場面があることを示唆することになるので,静止を指示することも監査で肝要となる。**ここがリモート・バーチャル監査でのリスクとなる。**

リモート・バーチャル監査の準備で行うべき一連の手順を以下に示す。

(1) 監査側は,記録／文書を整理および要求する窓口の名前と連絡先,連絡方法に関することを前もって決めておく。

(2) 監査側は,品質契約,業務契約,秘密保持契約に記載の連絡窓口に,監査の実施希望を連絡する。

(3) 被監査側は,監査側からのアプローチを受けたとき,監査に対する窓口を一本化して,監査側に,監査の準備期間中の窓口,担当者名,連絡方法を連絡する。

(4) 被監査側,監査側は協議して,実施日を決める。このとき,前述のとおり,時差,勤務体系等を考慮して,実施日,時間帯を決めることになる。時差の関係で,一日に実施できる監査時間は,オンサイトの監査とは大きく異なり,一日数時間に限られることになる。たとえば,日本と米国東部間のリモート監査は,12時間余りの時差で,ほぼ不可能になる。

(5) 監査側は,実施時期が特定された後,準備にかかるが,実施時期の特定に多くの時間が必要となる。リモート・バーチャル監査は,被監査側の同意,準備なしでは実施できないので,監査側の希望どおりに進めることは困難である(希望を無理強いすることは不可と筆者は認識している)。準備は表4-1の点を考慮して,アジェンダを準備して,事前提出する(すべき)文書を請求(要求)する。

表4-1：アジェンダの準備で必要な要素

> a. PIC/S等で推奨される事前開示要求文書の標準リストを用いて開示要求に使用することが推奨される（注：典型的な事前要求の標準化されたリストは，両方の当事者に便宜を提供する）。
> b. 文書タイプと詳細な説明（どのような文書かの特定，SOP／マニュアル，サンプルデータセット，および／または要約）
> c. 要求する範囲を定め，文書の量と電子ファイルとしての大きさ（容量），電子ファイルの様式を考慮して，支障がない容量へ圧縮。要求の範囲は，期間（1～2年さかのぼる），一定期間に製造された製品の量，サイトで製造された製品の数，保管要件，監査のタイプなどによって決定される。
> d. 文書がいつ被監査側から提供されるかを明確に示す。要求から受領までの時間枠は，スタッフがアクセスできるように手元にある状況を考慮すること（たとえば，リスクの高い文書（製造記録のマスター）の場合等）。少なくとも，企業は文書の開示請求（要求）に応答するのに15営業日，または翻訳等が必要な場合は30営業日くらいの余裕を持っていること。
> e. <u>文書の翻訳の要件，および元の言語で記録の提供を受け取る必要性（セキュリティ，誤訳による齟齬防止の観点から，Google翻訳またはその他の公開・市販されている翻訳ツールは使用しないこと）</u>。
> f. 共有された安全なWebベースのポータルなど，組織化と転送および照査の容易さを明確にするため，文書共有／転送のための相互に合意された方法と識別システムが必要。確立されたポータルは，事前要求，バーチャル監査中，およびフォローアップ要求に対応するため，相当な期間，維持すること。

(6) 被監査側は，要求された文書の必要性に関して監査側に説明を求めて，要求された文書を監査側に提供する。提供できない文書については，その旨の声明および正当化／合理性を監査側に説明する。監査側は，要求された文書の受領の確認を返答し，これにより，当事者間で転送，開封が行われていることを確認する。

(7) 監査側による事前監査文書の照査に続いて，バーチャル監査の必要性が再検討される可能性があるため，事前に提供された文書照査が進むにつれ，以下のことが発生する可能性がある。
  a. 監査側と被監査側の間でより機能的な通信を行うための安全な技術が求められることがある。情報技術のセクションでは，考慮事項の概要を説明する。
  - フィージビリティスタディとテストランは，監査の前に実行すること
  - 考慮すべき実現可能性の項目は，オンラインポータルへのセキュリティ／アクセス
  - 監査側と被監査対象サイトのコンピュータシステムのセキュリティ保護によるアクセス拒否の可能性
  - 電話またはビデオ会議の情報・通信容量
  - 画面共有機能
  - Wi-Fi信号強度

- コンピュータのハードウェアと接続性
- 多元性・重複性とバックアップ計画

b. 事前提供された文書照査プロセスが終了するのに必要な日数を換算し，監査側と被監査側が監査の範囲をカバーし，実施可能な計画を立て，スケジュールを遵守できるようにすること。

c. 監査のスケジュール（具体的な）の立案・開示は，WEB会議へのログインおよび／または現場での両方の適切な時間にスタッフの配置を確保するために必要不可欠である。

d. 効率的な対応を可能にするために，参加する監査者の数は2人以下にすることが求められる（これは，技術的な制約があるため，ぜひとも合意すること）。人数を限定することで，電話会議インフラの問題のリスクが軽減される。

e. バーチャル監査が複数のタイムゾーンで行われている場合は，作業スケジュールを調整してプロセスに対応するために，文書の受信と配信，およびバーチャル対話のために相互に合意した時間帯が必要になる。時差の関係で，バーチャル監査の時間が十分とれない場合は，オンサイト査察の数倍の延べ日数になることを考慮して，計画を準備すること。被監査側に時間外の対応を要求することは，厳に慎むこと。

f. 聴取，話し合いの最中に同時通訳者が必要になる場合は，リモートアクセスや必要に応じてオンサイトを含む実際の配置等を特定する。

g. リモートツアーまたは「プロセスまたは作業活動の検証・観察」が予想される場合は，監査を開始する前に，対象，時間，内容について協議して，技術的な問題を共通の認識として合意し，テストすること。

(8) 監査の実施時間帯の違いを考慮して，監査の前にスケジュールとタイミングについて合意すること。監査側，被監査側が監査の一部（音声または画像の両方）を記録することを希望する場合は，事前にこれに同意し，必要に応じてすべての当事者が重複して記録する機会を持てるように通知すること。必要に応じて，同時通訳者を確保し，議論に必要な通訳サービスを提供できるようにすること。ビデオ会議の性質と，話し合いのために会議に参加する必要のある人数の物理的制約から，監査者を2人に制限するのが最適である。

(9) リモート・バーチャル監査は，可能な限り，オンサイト監査の一般的なプロセスを参照すること。これには，会議室の議論，応答に関連する次のものが含まれていること。
- 監査者と現場スタッフを確認して紹介し，リモート・バーチャル監査を実施するための計画と問題点を明確にして，進行を円滑に進めるための会議。
- 監査者が最初の考えやフォローアップ活動が必要になる可能性のある問題を共有

できるようにする，毎日の報告またはラップアップ会議。

(10) 効率的かつ効果的な監査を円滑にするために，監査者は監査中に照査する文書と範囲のリストを提供し，サイトの要員の配置を最適に調整するスケジュールを確立できるようにすることを推奨する。このスケジュールは，サイトの調整とタイムリーな対応を確実にするために，監査中に毎日更新すること。

(11) プログラムとプロセスの概要と特定の側面の両方を提供する被監査側の対象分野の専門家は，監査者の要求に応じて，被監査側の対象分野の専門家に質問，議論できること。

(12) 懸念事項を現場の担当者へ明確に伝えるラップアップを実施することで，特定の観察事項を述べ，違反の重大度を表明すること。この際，問題の性質と重要性を完全に理解するために，被監査側は質問をして追加情報を提供することが通常認められる。

(13) リモート・バーチャル監査は，バーチャルプラントツアーし，実際の製造プロセスを観察することで，より多くの課題が発生することがあるので，次のことを考慮すること。
- 監査者は，監査の前に，特定の領域またはプロセスを見たいという要望をオープニング会議で明確にすること。特定の領域および／またはプロセスのバーチャルプラントツアーは，ITおよびロジスティクスの面から可能にできるようにその対象に伝達して，かつ計画に入れること。
- バーチャルツアーまたはプロセスの観察には，事前に録画されたビデオ，または必要に応じて「リアルタイム」のビデオの提示によって簡便化，迅速化される場合がある。この準備のため，プライバシー，セキュリティ，安全性，機密性の要件に関して，監査前に協議すること。
- バーチャルツアーでは，撮影機器，Wi-Fi機器を携えた複数の人員が，製造区域内に入ることになるため，製品への問題（汚染）の可能性と潜在的な安全性の問題（曝露の可能性と人間への安全）に関して，特別な考慮を図ること。交叉汚染の可能性が大いに懸念される無菌製造区域へのバーチャルツアーは，特別な配慮が必要であり，「リアルタイム」のビデオの提示の代わりに，汚染対策を施した事前に録画されたビデオの提供に代替依頼することが望まれる。
- 文書（SOP，規格），記録類の照査では，事前に開示した文書類に対する説明の要求，質問がオンサイト監査と同様に行われるが，リモート・バーチャル監査では，監査者と照査する文書が，実際の文書ではなく，スクリーン上の文書になる。このとき

に，監査者が文書のどの箇所に着目しているかは，画面越しではわからないことが多い。このため，求められた文書を表示，指し示すときはゆっくりと，監査者と逐次確認を取りながらスクロールすることが求められる。さらに，現地語で記述されている文書の特定の箇所に関して翻訳を求められるため，通訳者も同じ文書を凝視していることが必要になる。

- 記録書の照査に関しては，まだまだ記録書が手書きで記載されていることが多く，その手書きの文書の判読に手間取ることが発生しがちになるため，電子化の際，高解像度での電子化対応が求められる。
- オンサイト監査と同様に，監査が進行する中で，事前に公開，共有化していない文書の照査が始まることがある。オンサイト監査と同様に，迅速に求められた文書・記録類を画面上に表示することが必要となるので，あらかじめ電子化の準備と電子化した文書のインデックスを作成しておくことが求められる。
- 文書の照査，質疑では，電子文書の提示する担当者，質疑応答する担当者，表示を要求された文書記録を探す（このとき，次に監査者が照査したいであろう文書記録を予測する才能が求められる）担当者等に役割を分担することが求められる。
- さらに，この要求された文書を提示するに要する時間は，オンサイト監査と同様であることを期待されていることを周知して，複数の担当者が分担すること，もしくは文書管理責任者が采配を振るう，指示を出すことが求められる。
- 質疑応答のときは，各自の会議システムのミュート（消音）のモードを選択して，ハウリングを防ぐことは当然ながら，ひそひそ話が収音され，質疑への不信感を誘導することを避けなければならない。
- 突発的に，リモート・バーチャル監査中にコンピュータがフリーズすること，通信回線が外れること，また急に速度が遅くなり画面がコマ送り状態になることは，往々にして起こる。このとき責任者は，"一旦，通信回線を切断して，再起動を行うこと"を断って進めることが肝要である。このときは，Wi-Fiではなく電話回線を用いて，相手側に伝えることになるため，電話回線をあらかじめ準備することが求められる。

監査後のフォローアップ〜ラップアップ会議

　ラップアップ会議を行う前に，監査者はWeb会議を一度オフラインにして，実施したリモート・バーチャル監査をまとめることになる（注：この時間は，1時間かそれ以上に時間が必要となることを予想して被監査者は待機する）。

　その後監査者は，Web会議を再開して，実施したリモート・バーチャル監査をまとめた事項を発表することになる。この発表は，Web会議での文書共有化のシステムを用いて文書を提示する，口頭でのみ監査者がまとめを伝えるなど，さまざまなケースが想定

される。

　ラップアップ会議でまとめが提示された後，正式な観察事項（指摘）レポートがいつ発行されるか，およびフォローアップアクションまたは被監査側による書面による回答のタイムラインと期限が特定，もしくは指定される。

- COVID-19により，被監査側は，応答を作成し，CAPAアクションの期日を確定する際に，オンサイトおよびオフサイト（ベンダーなど）で利用できるスキルやリソースが限られているなど，潜在的な課題，タイムラインと期限の遵守に注意すること。
- COVID-19により，被監査側の応答に障害がある場合は，監査側に伝達され，合意されていることを確認すること。COVID-19に対処するために，または少なくともCOVID-19禍の状況下，CAPAアクションを被監査側の変更管理に合わせる必要がある場合がある。

　リモート・バーチャル監査では，文書・記録が監査側に開示されているが，可能であれば，監査の範囲は拡大せず，すでに提供，収集された文書の照査に限定し，追加の文書要求をしないようにする。

　正式な観察事項（指摘）レポートが発出された後は，従来のオンサイトの監査と同じように，監査側にCAPA計画等が回答される。

エピローグ

　被監査側は，録画されたリモート・バーチャル監査を多くの関係者と共有して，反省会を開くことを勧める。これは，COVID-19が収束してオンサイトの査察が復活されるが，これからはリモート・バーチャル監査が，製薬業界では取り入れられることは必須である。そのためにも自己研鑽のために，今後のより良きリモート・バーチャル査察・監査対応にするためにも，反省会を推奨する。

3

文書監査

文書監査の位置づけ

　文書監査は，一般に，監査側が質問事項をまとめ，質問票を作成して，被監査側に回答を求めることになる。

　文書監査は，"調査票"，"質問票"，"書面監査"等の種々の呼称が用いられている。文書監査は，あくまで製薬企業が，その供給されている原材料の製造業者，もしくは製造，包装表示の製品に関する業務，品質・毒性・生物活性等の評価試験を委嘱している受託企業を監査するときのオンサイト監査の代替手法である。

　それに対して，規制当局査察の補助として文書査察があげられているが，文書監査とは大きく異なる。

　医薬品医療機器総合機構（PMDA）の製造所認定に関しては，原薬，製剤の製造所，施設に関しても"書面"で承認される場合がある。FDAにおいても，COVID-19パンデミック禍の2020年4月から一時的に査察（国内外）を中断した間，NDA，ANDAの申請審査，既登録の製造所の監視査察の一部で文書査察にて承認，更新が行われたことが報告されている。しかし，この文書査察はあくまで暫定的な措置である。FDA，PMDAの文書査察では，申請に関連する資料の提出が求められる。規制当局が指定した原資料を被査察側・申請者が，事前に提出して，申請書と指定された原資料が照査され，適合・不適合が判断されるため，オンサイト査察での文書照査とほぼ同じである。監査側が行う文書監査は，アンケート形式で行うため，文書の開示には強制力がなく，この文書監査はボランタリーな状況である。**ここが，文書監査の限界で，リスクとなる。**

　多くの場合，文書でのGMP監査は，監査側が品質マネジメントシステム（QMS），製造・品質管理，GMP遵守の状況を質問形式で被監査側に回答を求める様式を用いることで行われてきた。このとき文書監査は従来の慣行から，原材料，委託製造等の施設，製造所を評価する場合，そのような施設製造所をQMSの手順に従って評価，承認後，承認した品質管理体制，言い換えるとQMSが法令，ガイドラインに準拠しているかを確認

するため，また一部の製薬企業では優先順位が低い，リスクが低い施設・製造所（2次包装製造者，非重要添加剤（色素，香料等）等）は，承認，認定評価を文書監査にて行う場合がある。

それに対して原材料の施設，製造所を評価，認定，管理するためには，オンサイトの監査を行ってきた。このオンサイトの監査は製薬企業の必須項目，準義務とされてきていた。

2020年春より，国内でもCOVID-19の影響による緊急事態宣言の発令で移動の自粛，もしくは被監査側が外来者の受け入れ拒否を行うなどの事態となり，日本国内でのGMP監査が困難になった。さらに海外，特に原薬，中間体，出発原料の主要生産国であるインド，中国，イタリア等の各国は，軒並みコロナ禍に見舞われ，入国の規制，国内移動の規制等で監査の受諾がほぼ不可能になった。

各国にGMP監査員を配置している一部のグローバル製薬企業を除き，各社ともGMP監査が，コロナ禍で中断が余儀なくさせられた。

従来文書監査の実施に関しては，多くの製薬企業で一定の条件を定めた手順書の下で行われてきた。ここでは，その条件の例を示す。各社にとって原則オンサイトで監査を行うべきところの代替案となっている点は留意されたい。

文書監査の例

ICH Q9を参照しての監査／査察では，以下の因子を考慮に入れ，内部，外部を問わず，監査の頻度と範囲を定めるとされ，11項目の要件をリスク分析して，監査の頻度，範囲を決めることが示されている。

このICH Q9のガイダンスを参照すると，定期監査の場合には，製造業者等の製造管理・品質管理の状況に関して，下記因子を勘案して書面監査を行うことも可能となってくる。

- 既存の法的要求事項
- その企業または施設の過去の総合的な法令遵守の状況（実地監査を複数回実施し，結果がおおむね良好である場合）
- 企業の品質リスクマネジメント活動の頑健性（実地監査を実施した以降に，品質に直接影響を与える変更や重大な逸脱等がない場合，すでに信頼関係が確立されている場合）
- 工場の複雑さ
- 製造工程の複雑さ（工程が5工程以下で，特殊な反応を含まない，または無菌化工程を含まない等）
- 製品とその治療上の重大性の複雑さ
- 不良品の数と重大さ（回収等）（前回監査以降回収がない，重篤な逸脱がない，重大

な逸脱が10件／年以内，生産したバッチあたりの逸脱が2件以内等）
- これまでの監査／査察の結果（実地監査を複数回実施し，結果がおおむね良好である場合）
- 建物，装置，工程，主担当者の大きな変更（実地監査の実施以降に，品質に直接影響を与える変更がない場合）
- 製品の製造の経験（生産頻度，量，バッチ数等）
- 監督する公的な試験所での検査結果（行政によるGMP適合性調査を受け，「GMP適合性調査結果報告書」または「GMP適合性調査結果通知書」を入手している場合）

さらに，文書監査を可能にする要因としては，以下があげられる。
a) 医薬品の委託製造企業でないこと
b) 文書監査対象の製造企業が供給する原材料の医薬品（API）の品質・安全性に及ぼすリスクが基準以下であること
c) オンサイトの監査が著しく困難な場合

あらかじめ制定された供給者監査手順書に例外規定（上記c)項）を用いて，文書監査を行うことになる。

このような因子を満足すれば，緊急事態（平常時でない場合）の対策として，もしくは代替として文書監査が行われている。

文書監査を行うために必要な事項については，PIC/S GMP Part Iに示されている以下の記載がある。

4.29 There should be written policies, procedures, protocols, reports and the associated records of actions taken or conclusions reached, where appropriate, for the following examples: Supplier audits.	4.29 以下の例について適宜，文書化された方針，手順書，実施計画書，報告書及び講じた措置又は到達した結論に関連する記録書があること。 ―供給業者の監査

監査に関するSOPが備わっていることが前提だが，好ましくは文書監査の要求項が定められていることが希望される。この監査手順にさらに文書監査を行うことができる条件をまとめることが必要である。被監査側に記入を要求する質問票は監査側が準備するが，その前提として，次の2項を準備することが望ましい。

(1) 文書監査を対象とする被監査者，対象分野の大分類を選択

多くの場合は，監査側が定めた手順で，文書監査の対象の原材料供給者，またはリスク評価での分類を行うことになる。この分類はガイドライン等での規定はないため，製薬企業（監査側）がリスクに基づいて分類することが求められる。文書監査を始めるに

際して，あらかじめ手順書等を準備することが求められる。

文書監査の対象分類の選定
- 原薬製造業者（中間体を含む）
- 製剤製造業者
    無菌製剤
    非無菌製剤
- 出発物質製造業者
    合成化学品
    天然物，薬草
- 賦形剤，添加剤製造業者
- 包装表示委託者
- 容器，ラベル供給者
- 倉庫業者，輸送業者
- 委託試験機関（物理化学，生物学的活性試験）

(2) 文書監査の様式

現在，国際的な製薬関連団体からは，以下に示すような文書監査のプロトタイプな質問票が入手可能である。これらは，汎用を目的にされているため，そのまま被監査側に送ると，製造所にとって個々の製造所の特異性，製造する原材料によっては関係がない分野，部門が含まれているため，被監査側には監査側が期待する回答を準備していない状況が生ずることを想定する必要がある。

- Active Pharmaceutical Ingredients Committee (APIC), B) Auditing Guide, 2016
    Annex 1 - Auditing Guide, Questionnaire
    https://apic.cefic.org/publications.html
- WHO Interagency finished pharmaceutical product questionnaire
    https://www.who.int/about/finances-accountability/procurement/interagency-fisnished-pharmaceuticalproductquestionnaire_doc.pdf
- Rx360
    Supplier Assessment Questionnaire Kit
    Supplier Assessment Questionnaire Kit - Rx-360

このような公開されている汎用の質問票を用いることで，文書監査を初めて行う監査側でもGMPに関する調査すべき項目を網羅することが可能になる。と同時に，監査側（原材料の被供給者，サービスの受領者）が，手順書に定められた調査票を準備していない場合は，独自に作成する困難さから解放され，GMPの文書監査で漏れなく全項目に関

して質問できるため，監査側にとっては都合はよくなる。しかしその半面，被監査側にとって汎用な質問表には，網羅的な質問項目が列挙されているため，いわゆる"適用外N/A"に相当する質問項目に関して照査して回答するという大きな負担となることが散見される。同時に被監査側が製造する原材料の現状を監査する際に，余分なノイズ（関係ない質問項目の回答）を拾うことになり，正確さを損なうおそれがある。

そのような背景から，供給者への文書監査実施に先立ち準備する質問票としては，大分類に即したテーラーメイドの質問票を準備することが求められる。質問票の一般項目は共通であることが多いが，各分野（中分類，小分類）では，対象とする原材料の性質，特徴，製造の特異性，品質試験が大きく異なり共通化が難しいため，汎用の質問項目では網羅できない可能性が出てくる。GMPコンプライアンス，QMSに関しては，原材料の供給者はGMPの対象施設でないことも多くある。試験機関は，GLPや信頼性基準で運営されていることがほとんどであるため，GMPの基準で監査することはほぼ不可能である。

このため大分類，中分類に基づき個別の項目で構成される質問票が準備されることで，被監査側にとっても記入・回答が容易になる。また，監査側が求めるリスクが高い領域に踏み込むことが可能になる。

できれば，原材料の品質特性，委託している業務のリスク分析結果に基づき，中分類に沿って作成された質問票を小分類に照らして，テーラーメイドの質問票を作成することが必要になる。

逆に被監査側にとり，一般的な項目を羅列した質問票は回答がすることが難しいと感じられて，回答に時間がかかり，被監査側に煩わしさを負わすことになるため，避けるべきと思われる。

ただし，医薬品原薬，製剤用の賦形剤に関しては，その製造所はGMP準拠が求められているため，共通の質問票が有効と思われる。

大項目での既存の調査票への追加項目の例
- パンデミックの対策，従業員の新型コロナ患者発生の対応等
- 患者発生時の事業所の閉鎖，もしくは除菌の手順の準備状況
- 患者発生後の製造所の再開の手順
- パンデミック禍中における，原材料の供給不安の対策
- 代替ソース確保の手順

テーラーメイドの質問票を作成する場合の各中分類での例

原薬製造業者（中間体を含む）

中分類：低分子，非生物由来
- ニトロソアミン汚染の可能性を含めたリスク評価
- 出発原料の継続的な供給確保の保証の有無
- 特定不純物（変異原性）の検出法，分析法の有無
- 変更管理，年次照査での不純物プロファイルの照査の有無

中分類：生薬成分，天然由来成分
- 受け入れ検査時の検証；異種の動植物，異品種の混入を検定しているか？　その方法は？　比較標準はあるか？
- 受け入れ検査時の検証；虫害等の被害を原料から排除する方法，擬態的な受け入れ基準
- 生産国，通関時に燻蒸工程があるか？
- 受け入れ試験での天然由来毒性成分の検査方法と基準；具体的には，アフラトキシン，アルカロイド類
- 年次の成分の変動の調整方法
- 年次の成分の変動・トレンド分析の実施の有無
- 原産地証明の確認
- ワシントン条約の適用の有無の確認

中分類：生物医薬原体
- 遺伝子組換えの確認
- 起源の生物種の確認；動物起源，植物起源，微生物
- 精製時の有機溶媒の使用
- 不活化の工程の有無；物理的；加熱，粉砕，遠心，化学的

製剤製造業者

中分類：無菌製剤
- 無菌性の再バリデーションの頻度（無菌充填試験）
- 更衣バリデーションの頻度
- 清浄区域の管理基準と除菌の頻度
- 微生物試験，浮遊粒子測定の場所の再見直しの頻度
- 偽薬対策

> **中分類：非無菌製剤**
> - ニトロソアミン汚染の可能性を含めたリスク評価
> - 出発原料の継続的な供給確保の保証の有無
> - 特定不純物（変異原性）の検出法，分析法の有無
> - 包装・容器の完全性試験の頻度；偽薬対策を含む

出発物質（天然物，生薬，薬草）製造業者

> - 天然物，薬草に関しては，ICH Q7においては，GMPの適用範疇には加えられていないが，自主基準としてGMPに準拠しての管理が求められている。このため，GMP質問票を用いることが可能であろう。
> - 原産国，地域の確認手順，ワシントン条約の尊重の明記
> - 農薬の使用の有無，残留農薬の確認
> - 保存管理，特にカビ対策と虫害対策
> - カビ毒の確認
> - 生薬特有の異種植物混入の有無検証
> - 異種植物の混入許容値

委託試験機関（全般の追加項）

> - 認証機関と認証の種類；GLP・信頼性基準での運用か
> - 試験責任者の責務と責任範囲
> - 試験法の技術移管の実施の有無
> - 試験法の技術移管後のベリフィケーションの実施確認

物理化学試験の委託試験機関

> - 分析機器のデータ管理システム；特にファイアウォール
> - OOSの模擬訓練の実施
> - OOSの発生に関するメトリクス
> - 試料保管庫の防災対策
> - 原記録の保管状況

生物学的評価試験委託機関

> - 試験動物の検疫，順化期間
> - 無菌性試験動物の無菌性管理方法
> - 動物の倫理委員会，委員会規則，構成委員の所属（第3者の割合）
> - 動物舎の管理状況

この他の製造業者は原則GMPの適用外となることが考えられるため，質問票の設定基準は，GMPの調査票を用いるとしても，ISO9001等の基準では要求項でない項目を削除する，もしくは参考項目として調査票に記述した様式を採用するのが望ましい。

　ISO9001では求められてはいない項目ながら，監査側がGMP準拠を期待する項目として，プロセスバリデーション，分析法バリデーション，輸送バリデーションの種々バリデーションは，質問票から除く，もしくは評価範囲としてはじめから除外しておくことが求められる。

　製造室内，施設周囲の環境管理はISO9001の対象ではなく，ISO14001の要求項のため，評価範囲としてはじめから除外しておくことが求められる。

　また製品の保存安定性試験は要求項だが，年次の保存安定性試験は評価範囲としてはじめから除外しておく必要がある。

　これら項目を除けば，GMPで求められるQMSはほぼ同じと考えることができるので，GMP質問票を流用して文書監査に利用できる。

既存の調査票への追加（テーラーメイド）項目の例

出発物質製造業者

> 中分類：合成化学品
> - 保管サンプルの保持（保存）
> - データの完全性，特に同時記録性，帰属性，保存性の特性の準拠
> - 是正及び予防措置（CAPA）の手順
> - 主原料ならびに出荷する化学品の保存安定性の評価
> - 顧客への変更管理の通告の手順
> - 不純物組成とその変動のモニター（特に新規不純物）

賦形剤，添加剤製造業者

> - 原料の起源の明確化
> - 動物由来の原料の場合は，BSE/TSEの無混入の照査

包装表示委託者

> - 包装表示のセキュリティ，アクセス制限，持ち出し
> - 試し作業，不適合包装表示印刷物，余剰包装表示印刷物の管理，特に致命的な破壊を加えているか
> - 包装表示用の印刷物の数量管理をしているか

- 出荷,廃棄,余剰の数量が製造した数量と合致することを検証しているか
- 包装表示の旧原版,電子データの廃棄記録
- 包装表示の取り違え防止

容器,ラベル供給者

- 印刷物の元となる原版(版下)の管理に関して,セキュリティ対策
- 旧版の管理,版の改定の手順
- 余剰に準備した容器・ラベルの処理方法(特に,外部への廃棄)
- 最新版の原版を作業前に確認すること,確認を記録すること
- 原版を新たに作成する時の同等性の確認
- 容器,ラベル印刷用の電子データの管理〈データの完全性の確立〉
- 電子データへのアクセス制限

倉庫業者

- 倉庫での保管に関しては,Good Distribution Practice "GDP" なる別途のガイドラインが要求される
- GDPは基本的にGMPと大きな差は認められないが,要求される特別な項目は区分保管,混同防止が最重要項目である

質問票の記入項目への評価

　当局が行う書面調査,オンサイト査察とは異なり,調査項目の質問事項に"YES"もしくは"NO"の単純な回答を求めることになる。さらに,文書番号の記述が最大の回答である。このため,各質問項目への回答より要求項への質的充足は現物を見ることができず,推定にしかならない。または,当該の文書・システムを有することで,"適"と判断せざるをえず,客観的なGMPコンプライアンスは,判定できない。該当する文書・システムの名称・呼称が異なり,"NO"と回答される場合もある。残念ながら,文書監査の限界がここにある。

　通常,質問票への回答は,99％以上が"YES"の回答である。たまに"N/A"(非該当)が回答されるが,実際の文書監査の結果である。また,虚偽の回答(実際に文書,システムが準備されていなくても,調査票に"YES"と回答すること)も可能であり,その虚偽の回答は**オンサイトで将来監査しない限り真偽は不明のまま**である。

　対応としては,パンデミックが収束したのち,速やかにオンサイト監査を行うことを質問票の連絡項に記載して,虚偽の回答を記載することを牽制する。もしくは真偽が疑われる文書に関しては,該当する文書の一部(特に,承認欄のページ)の提供を求める

ことで，防ぐことができるかもしれない。

　あくまで，調査票による文書監査は性善説によっているため，回答内容の質，充足度，また実際に文書監査での質問項を運用しているかを判断するには限界がある。この事実からは，文書監査自体が優良な品質システムを有していることがオンサイト監査で判明している製造所に対して，現状のコンプライアンス状況の確認の手段と割り切る必要がある。ましてや，文書監査で質問項へ多くの"NO"を回答してくる製造所はオンサイト監査でも決して優良な製造所とはならないことは事実と受け止めるべきである。

おわりに

　文書監査でより良い結果を得るための方策は，オンサイト監査で得られた，もしくは事前調査で得られた情報を考慮して，テーラーメイドの質問票を作成し，それに対する回答を通して現状を把握することであると考える。文書監査が終了したとしても，パンデミック状況が解決したのち，速やかにオンサイト監査を行うことを推奨する。

■引用文献

1) International Federation of Pharmaceutical Manufacturers & Associations（FPIA）
　 "Points to Consider for Virtual GMP Inspections -An Industry perspective LAST UPDATED: 5 FEBRUARY 2021"
　 QUESTIONS AND ANSWERS ON REGULATORY EXPECTATIONS FOR MEDICINAL PRODUCTS FOR HUMAN USE DURING THE COVID-19 PANDEMIC
　 Remote Interactive Evaluations of Drug Manufacturing and Bioresearch Monitoring Facilities During the COVID-19 Public Health Emergency
　 https://www.fda.gov/media/147582/download

5章

データインテグリティとコンピュータ化システムの監査

key note

　ここ数年，規制当局からのGMP査察においてデータインテグリティ（DI）に関する指摘が増加し，MHRAやFDA，PIC/Sなど世界の当局から相次いで関連のガイダンスが発行されている。当然ながら，GMP監査実施においてもDIに関する項目は重要性を増してきている。本章では，ICH Q7「5.4 コンピュータ化システム」に示されている内容を反映しながら，FDAの査察官が使用している査察マニュアルを参照し，DIに関する監査手順の概要を解説する。

データインテグリティに関する監査の基本

 ## コンピュータ化させた設備

　現在，医薬品，原薬，添加剤等の原材料の製造所では，製造管理，倉庫管理，品質管理，文書管理にコンピュータを使用していない工場はないと思われる状況になってきている。

　例えば，品質管理室に最新式の分析機器を導入して品質検査を実施し，それらの分析機器はコンピュータ制御されているため，個々の分析機器はスタンド・アローンのコンピュータ（PC）に接続されている。しかしながら，コンピュータ化された分析機器をLIMS等の統合型のソフトウェアで総合データ管理する製造所はまだ少ない状況にあると筆者は感じている。日本では，個々のスタンド・アローンのPCでデータ処理・保管していることが多く見られる。

　GMP監査では，製品品質，製造のGMP準拠に加えて，生成された情報の管理が重要な項目になっている。この情報の管理には，コンピュータを用いる電子データ，コンピュータ化システムを対象にするともいわれてはいるが，従来どおりの紙に記述された，印刷された記録文書も含まれることを念頭に置いていただきたい。

　この情報管理（総合的な観点からデータインテグリティ"DI"と呼ばれる）に関して，近年，FDA/EMAの査察での主要指摘項目になっている。自ずと，GMP監査においても，重要な照査の対象になってくる。

 ## DI監査の手法

　GMP監査では，DI監査の手法は，製品品質，製造のGMPに関する監査手法と異なり，監査員がコンピュータシステム，コンピュータ制御された分析機器を前にして，操作，生のデータを直接観察／照査することとなる。

　DI監査に含まれる内容は，以下のようにかなり多岐にわたる。

- コンピュータ・システム・セキュリティ；アクセス管理，バックアップ，パスワード/ID管理
- データの信頼性；訂正の適切性，データ・報告書の承認，データの削除・改ざん防止，それらの検証
- 電子データの完全性；悪意からの防御，不正の排除・検出
- データの堅牢性；保存・保管，正確性，コンピュータ機器の信頼性，
- コンピュータ管理，データの管理体制；文書化された手順，検証，階層別責任体制

日本ではまだ，GMP監査においてDIに対する監査員の手法や熟練度が不十分であることが多いように筆者は感じている。以下に，DI監査に関する基本的手法を解説する。

監査の視点

監査する項目：Computerized Systems・Net work

まず，監査ではDIに関する基本的な点から照査・点検していく。

[質問例]

- コンピュータ化されたシステム台帳が備わっていますか？　最新の状態に維持されていますか？
- コンピュータ化されたシステムを制御するソフトウェアは，その複雑さから分類されていますか？　コンピュータ化されたシステムのプログラムが，分類に従ってバリデーションされていますか？
- 重要なシステムのためのコンピュータ化システムのリスク評価は，行われていますか？
- 重要なシステムが利用されているにもかかわらず，何のシステムかの説明／境界の記述・定義はされていますか？

DIの要件として，ALCOA原則が広く知られているが，その要件と監査での対応を対比させた例を以下に示す。

ALCOAの項目	意味	監査者の質問
Attributable 帰属性	誰がアクションを行うか。記録が変更された場合，誰がなぜそれを行ったか。原データにリンクしているか。	誰が操作を行ったかは，判読できますか？　元のデータはどこに保管されていますか？
Legible 読みやすさ	データは，耐久性のある媒体に永久的に記録し，読み取り可能でなければならない。	QA，照査者にとって記録は理解・判読できる状態ですか？　保存劣化がないことは確認していますか？
Contemporaneous 同時性	データは，作業が行われたときに記録されるべき。	実際の作業をした時間を記録していますか？　あとから記録していませんか？

Original 原データ	記録は，記録されたデータ，もしくは検証された複写である。	原記録である証拠は何ですか？
Accurate 正確性	いかなる誤謬・修正・編集が行われていない。	正確さをどのように証明できますか？ どのように検証したのですか？

　このようなALCOA各項への質問に対する回答には，不正の検出と予防を強く示唆する回答を期待する。期待される回答としては以下のようなものが考えられる。

- 生データ，監査証跡のレビューの頻度を増やします。
- 予告なしに生データ，監査証跡のチェックを行います。
- レビューのための手順とチェックリストを整備しています。
- 文書記録では筆跡と署名を比較します。
- 作業者，分析者，監督者の出勤／存在を確認して，不正アクセスを防ぎます。
- トレーサビリティ確保のため，実施，変更，削除をログブックに記入，記録します。
- 内部／外部監査を実施します。
- 観察事項のトレンド分析を行います。
- DIの教育訓練を実施します。
- 種々のGMP活動の明確な方針／手順(例えばパスワードポリシー)を定義しています。
- 電子データ／ソフトウェア管理のための明確な手順と管理を行っています。
- クロスチェック権限，仕事の責任を明確化しています。
- 手順の妥当性を確認しています。

　基本原則であるALCOAを確認後，システム管理に関しては，アクセス管理に代表される透明性，独立性を担保した，不正を防ぐ手段を講じているかを確認することになる。

質問例
- システムの複雑さに応じたセキュリティ対策を講じていますか？
- システムの安全性と使用者のアクセスレベル管理（業務の適切な分別）が，適切に文書化，運営されていますか？
- ID/パスワードは共有していますか？

　多くの場合，アドミニストレーション（全権能を有する）アカウントを最上位階層とし，独立したIT部門，管理者（試験法，製造法のパラメータの一部を変更する権限を有す），実務者（分析，作業を行い，そのデータを入力するのみで，いかなる変更，再測定，再作業はできない）の3階層に定義づけられていることが望まれる。3階層に分類されているか，アドミニストレーション権限者が，試験，記録，適合・出荷判定に利害関係を有していないかを確認する。

　ID/パスワードが共通であったり，共用パスワードを使用していないかの確認も必要

である。

　ここでのリスクは，データ，分析・製造結果に依存しているため，そのデータ，分析・製造記録，報告書に誤謬，意図的な改ざん，恣意的消去もしくは偶然的な消去，隠蔽の不正があれば，医薬品の品質，製造を含めた信頼性は担保されなくなる。またこれらの不正は，製造所の内なる恣意的な悪意に依存するため，それらの悪意の除去がリスクとしてあげられる。この悪意は，決して突然に出てくるものではなく，長年の悪い慣習の結果として，もしくは経営層の利益相反から生じると考えられてきている。また近年起こっているGMP違反などの不祥事は会社組織から出てきている。一個人の恣意とは判断されていない。

> Check
> ## 求められるのはシステム
>
> - 悪意は，GMP管理の元にある性悪説からは，除去できないリスクである。このため，このような不正が起きないための予防，もしくは不正を早く検出できるためのシステム構築が求められる。残念ながら，すべての悪意を除くことはできないが，予防，早期に検出することはできるため，種々の手段が講じられていることが製造施設には求められる。この種々の手段が組織的でないことは，重篤な品質上の問題となる。それを監査で検証して，残存リスクの大きさが容認できるかを判断する。

2 データインテグリティに関する監査の視点

 ## 責任の所在

　まずは，DIの責任の所在がどこにあるかの質問を行う。

　DIの管理は，本来品質保証部門の文書管理の範疇であるはずが，PC上のデータとの名称の下，責任があたかもコンピュータ関連部門（多くはIT部門と称される）の責任のように扱われ，品質保証部門が関与していないことがある。また逆に，IT部門がGMPに係るコンピュータ関連の業務に関与しないことも観察されることがある。

　コンピュータ管理の階層において，最上位のアドミニストレーション権限をIT部門が負っていない場合もある。

　このように，IT部門が積極的にDIに関与していない，コンピュータ管理に関与しない場合が多くみられることに加え，実際に分析機器を用いる品質管理試験室の分析者が，電子データの取り扱いに疎く，そのデータの保存方法，改ざん防止に対して知識が欠如しているため，電子データの変更・削除が日常的に行われ，改ざんと見なされることもある。

 ## 監査対象の試験室記録

　監査で照査する対象の試験室記録として，試験対象（検体・サンプル），サンプルのトレーサビリティ，特に近年は試験用サンプルの出納記録（使用履歴）と，試験終了後の取り扱いなどがあげられる。

- 各試験に関する記録，その生データ，さらに保管状況（保管期間と保管終了後の取り扱い）
- 標準品，試薬に関する記録；ID，調製記録の原本
- 機器，器具に関する記録；ID・洗浄記録
- 分析機器の校正の記録ならびに合格証書（ラベル）

●分析機器に関する記録：監査証跡の記録，分析データの保存

監査で確認する試験室のデータ

実地で監査者が目にする試験室のデータとしては，以下のものがあげられる。
- **手書きの試験記録**：例えばpHメータの読み取り，カールフィッシャーの表示の読み方。
- **分析機器に直結したプリンターが印刷した記録**：例えば，電子天秤，pHメータのスリット，FT-IRチャート。
- **電子データの印刷**：分析機器と直結するスタンドアロンコンピュータの電子データ，もしくはデータプロセスで処理されたデータ，分析機器ではHPLC，GC，UVなど。
- **データプロセスの結果**：TrackWise，LIMSが生成した電子データを指す。結果は，on-screenで照査することが多いが，印刷したデータもたびたび被監査側から提示される。
- **メタデータ**：オーディットトレイル（監査証跡），タイムスタンプを含むすべてのデータが含まれる。ただし，製造記録等の紙媒体の記録において，誤記訂正の記述，追記もメタデータとして扱われる。

紙データの場合の監査対象

現状，GMPに関連する情報，記録が，電子データとなっていて有形（紙）媒体を用いないケースが増加しているが，日本ではまだ紙媒体で記録を残していることがある。

監査対象となる紙データとその監査で見るべき点は，以下のものがあげられる。
- HPLC・GCの分析システム
- 紙データと元データ（電子記録）が同じであること（同一性）
- 分析法やパラメータの変更における変更記録とその承認が記載されている文書と監査証跡の完全一致
- 再解析の結果と生データの照合と，再解析の指示，承認記録が残されている
- OOS結果の調査と生データの照合
- 品質部門の監査証跡のレビューとその結果記録が残されている

データ運用の確認

- これらの紙データの運用（同一性，完全性，無作為の照査）は，定期的・抜き打ちで行うことが望まれる。

紙からの移行を含めた電子データの運用で，下記のことが保証されていることを確認する。

- 電子記録・電子署名のメリットが，実践されている
    - 自動で記録・保存される
    - 誤記・誤転写・改ざんの防止
    - 変更の記録
    - 大容量のデータの処理が可能
- 紙データから電子データへの移行（PDFファイルを用いる場合）が，十分に行われている
    - 記録の紛失・改ざん防止
- 電子記録・電子署名（分析システムの機能を用いる場合）が有効になっている
    - 作為の改ざん防止
    - 迅速処理

3 監査・検証の例

☑ OS確認

　以下に，実際にPCの画面キャプチャを用いて検証の例を示す。最新版のソフトウェアを用いる分析機器，データプロセッサでは，改ざんは，一般には不可能であるが，ここではリスクを明確に示すために，旧バージョンのソフトウェアを用いて，説明，解説している。

　まずは，QC試験室，QA執務室等で，無作為にPCを選ぶ。できれば，出荷判定，品質検査書（CoA）の項目に使用された分析機につながるPCが望ましい。

　選択したPCを，分析担当者に立ち上げてもらう。監査員はPC立ち上げ時のスクリーンを注視する。図5-1のスクリーンは，Windows 7，Windows XPの画面である。このスクリーンに現れたOSのバージョンを確認する（図5-2）。この場合，旧バージョンのOSを使用していれば，その使用している理由，また，旧バージョンが信頼に耐える検証がなされているかを確認する。

図5-1　HP Screen

図5-2　OSの画面

立ち上げ画面での確認事項

　保守サービスが終了しているOSを使用している試験室は，まずDIが充足していないことが疑われる。つまり，DIに大きなリスクがあると予想される。そこで，まず被監査側に断り，許可を得て，自らコンピュータを操作することが推奨される。自ら操作することで，秘められた改ざん，消去等のDIの違反行為が発見できる。

　以下に，押さえておくべき要点を記述する。

　OSの立ち上がり画面で，まず2つの箇所に注目する。日時表示とごみ箱の中身である。

　まず画面右下の日時の表示は，特にネット環境に接続していない，独立したコンピュータと被監査側が宣言する場合は，日時，分秒が，正確な時刻を指しているかを確認する必要がある。時刻の表示が正確でない場合，改ざんが起こり得るリスクとなる。

　次に，"Trash"，"recycle bin"，"ごみ箱"とされるアイコンに着目する（図5-3）。この"ごみ箱"の中に何が捨てられているかを確認する。廃棄のログブックがなく，"ごみ箱"に多くのファイルがあることは，文書管理ができていないこと，改ざん・消去が管理されていない，行われていることを示唆する。また，ごみ箱が空であっても，下記の点を確認する。

- 自動削除機能になっていないか？
- ごみ箱の使用停止がなされているか？

図5-3　ごみ箱に関する設定画面

> **Check ✓ "ごみ箱"の不適切な管理の一例**
> - TOCデータファイルの削除の証拠が認められた。「XXX」の日付の分析ファイルは，コンピュータの"ごみ箱"で見つかった。同じ日，同じ試料の重複分析ファイルが画面中に発見された。試験記録・システムのログブックには，再試験により取得した第2のファイルや削除の記録は残していなかった。つまり，適合した結果のみを採用していたと考えられ，削除された結果はOOSの結果であったことが予測される。DIへの疑念が生じる。

☑ 生データの照査

生データの照査では，コンピュータ化した分析機器を直接検証する。項目は以下のものがあげられる。
- データの加工，再解析，パラメータの変更
- 正確性の調査
- データの改ざん・削除：ログブックに未記録の試験結果の有無，データ数の照合，ごみ箱の調査

監査証跡を表示させて，異常な分析が行われていないかを照査する。監査証跡の一覧表を表示させ，繰り返されるログイン／アウト，アクセス拒否がないか，同じIDの繰り返し使用がないかを確認し，試験の繰り返し／多重データを確認する。

日付／タイムスタンプの改ざんがないかは，内部時計のロック機能の有効性，タイムゾーン変更履歴を確認する。

データを無効にする基準を確認して，実際のデータの移送過程でデータがその価値・意味（原・メタデータ）が変化（劣化）していないかの検査を行っているかも確認する。

これらの照査のレベルには統計的な意味合いを持たせる。つまり，作為的操作が見つかる可能性がどのような数字で表すことができるかを考える。筆者の感覚として，監査者は，幸運にもこのような問題箇所に遭遇する運があることが好ましい（非科学的であるが）。

☑ 監査の焦点——データの保管

データの保管について，以下の点を確認する。
- 定期的に関連するすべてのデータのバックアップがされていること。定期的な検証・モニターで，保存されたデータの完全性，正確性，保存性は，調査すること。

● アーカイブされたデータは，その接続性，読み取り性，完全性を調査すること。システムに変更が加えられるならば，データの回復能を検証・試すこと。
● 保存媒体の陳腐化・劣化の防止；読み取り機の進歩と旧式媒体（例；HHD，MD），磁性の転写・暦年劣化。

またこの他に，供給者，契約者を評価しているか，システムの部分的変更が，内部の相互依存性によるリスクを起こしていないかなども確認する。

監査証跡

監査証跡について，リスク評価に基づき，GMPに関連するすべての変更・削除の記録を作成するシステムを構築しているかを確認する（図5-4）。

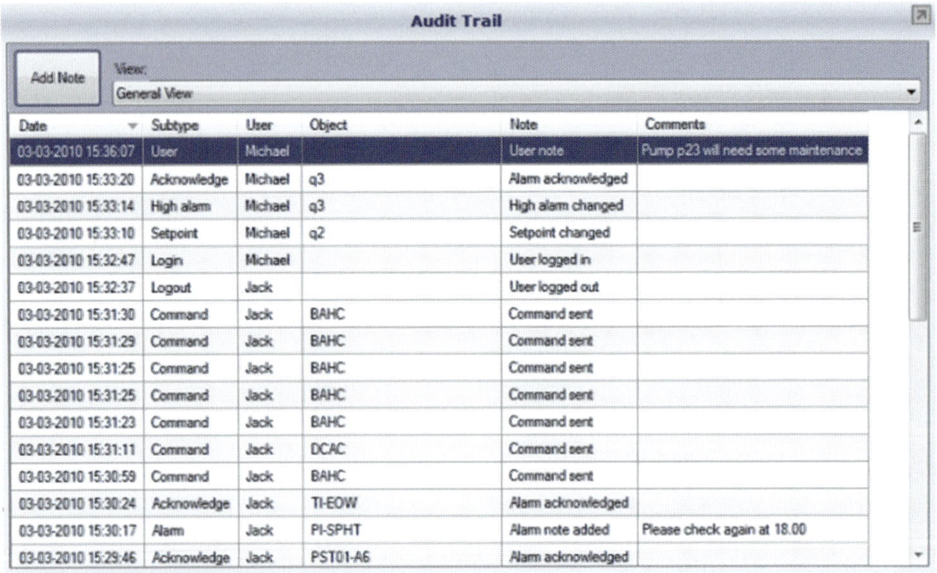

Date	Subtype	User	Object	Note	Comments
03-03-2010 15:36:07	User	Michael		User note	Pump p23 will need some maintenance
03-03-2010 15:33:20	Acknowledge	Michael	q3	Alarm acknowledged	
03-03-2010 15:33:14	High alarm	Michael	q3	High alarm changed	
03-03-2010 15:33:10	Setpoint	Michael	q2	Setpoint changed	
03-03-2010 15:32:47	Login	Michael		User logged in	
03-03-2010 15:32:37	Logout	Jack		User logged out	
03-03-2010 15:31:30	Command	Jack	BAHC	Command sent	
03-03-2010 15:31:29	Command	Jack	BAHC	Command sent	
03-03-2010 15:31:25	Command	Jack	BAHC	Command sent	
03-03-2010 15:31:25	Command	Jack	BAHC	Command sent	
03-03-2010 15:31:23	Command	Jack	BAHC	Command sent	
03-03-2010 15:31:11	Command	Jack	DCAC	Command sent	
03-03-2010 15:30:59	Command	Jack	BAHC	Command sent	
03-03-2010 15:30:24	Acknowledge	Jack	TI-EOW	Alarm acknowledged	
03-03-2010 15:30:17	Alarm	Jack	PI-SPHT	Alarm note added	Please check again at 18.00
03-03-2010 15:29:46	Acknowledge	Jack	PST01-A6	Alarm acknowledged	

図5-4　監査証跡画面

監査者の視点は，以下の項目に着目する。
● ログイン画面；ID/パスワードのユニーク性
　・共通のID/パスワードを使用していないか
　・パスワードの更新頻度
● 機能のon/off
　・offの発生理由
● 日時（シリアル番号）；不自然な間隔，番号の欠如，不自然な作業（休日，深夜に作業が行われている）

・使用記録と日時の照合で，削除の可能性
● Command：使用目的の不自然さ
　　　・システム適合性の繰り返し数，試注入の有無
● Noteの不自然さ
　　　・再解析，棄却の頻度，繰り返し
● 分析者：ログインの不自然さ
　　　・使用記録（ログ）との対比

パスワードの確認

- パスワードを確認する場合，監査応答者の行動にも注目することが求められる。パスワードを入力してくださいと監査者が求めたとき，「皆さんの前では，入力はできません。PWの入力のときは，後ろを向いていてください」と断ることが期待される。もし監査者の目の前で臆することなくパスワードを入力した場合，コンピュータセキュリティ対策が脆弱，リスクが存在すると判断される。

アクセス制限

アクセス権について，アドミニストレーションが掌握していることを確認する（図5-5）。

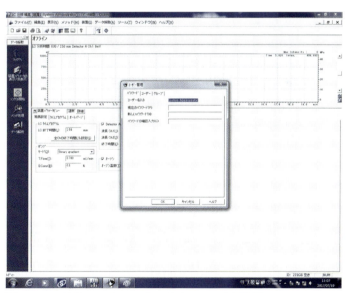

図5-5　アドミニストレーションについての確認

そして，階層別アクセス権限が，3層（アドミニストレーター，管理者，実務者）になっているかを確認する（図5-6）。また，分析者（実務者）の権限が，どの範囲かを確認する（図5-7）。

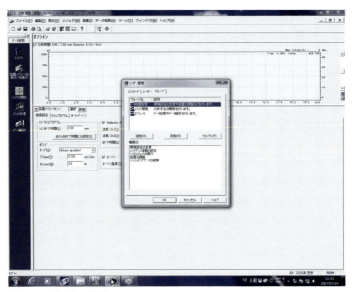

図5-6　階層の構造

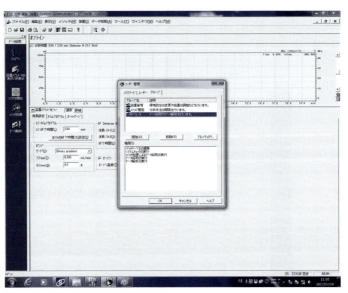

図5-7　分析者の権限範囲のスクリーン

　アドミニストレーターの権限がどのようになっているか，外部のベンダーにはエージェントの設定がなされているかを確認する（図5-8，5-9）。

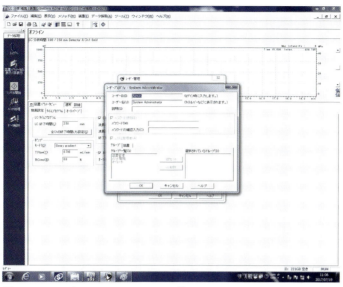

図5-8　アドミニストレーターの権限

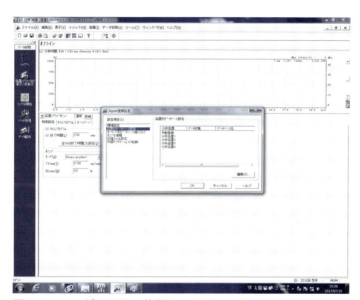

図5-9　エージェントの権限のスクリーンショット

　データ再解析パラメータがあるか，残っているか，ファイルコピーの権限が許可されているかを確認する（図5-10，5-11）。

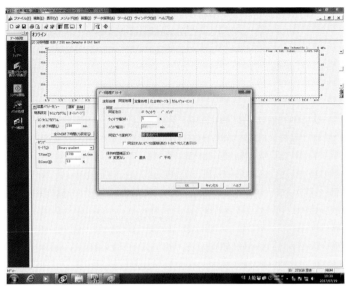

図5-10 再解析パラメータのスクリーンショット

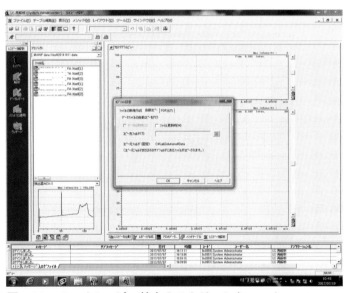

図5-11 ファイルコピー禁止のスクリーンショット

また，分析法の編集が行われていないこともチェックし（図5-12），主に以下を確認する。

- 分析者の使用する分析法が"編集不可"になっているか
- 注入数と監査証跡で確認できた数が一致するか
- 再解析のデータとオリジナルのデータは対比できているか
- 再解析の条件が残っているか

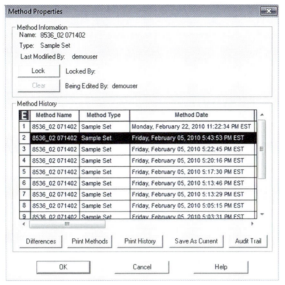

図5-12　分析法の設定のスクリーンショット

　ファイル名の管理，特に上書き禁止の機能（overwrite）を確認する（図5-13）。

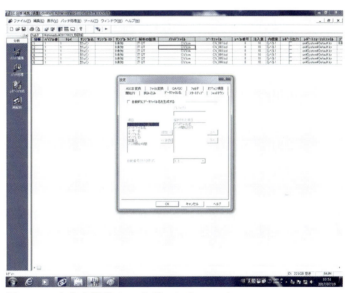

図5-13　上書き操作のスクリーンショット

　これらの画面上の照査で疑わしい箇所がないことが確認できれば，DIの管理状態が良好であると判断される。

短時間でチェックする機能

　ここまで，主にLabSolutionの各機能を見てきたが，監査では限られた時間で，DIの確実性を照査することが求められる。短時間で検証するために，"自動Survey　改ざんlog"の機能を用いることを推奨する（図5-14）。

　LabSolutionの"tool"には，自動で"データ改ざんチェック"機能がある。ただし，IT管理階層の上位にのみ機能できるファンクションである。この機能では，疑わしいファイルを選択し，サーベイすると，自動で改ざんの有無を検査する。検査は短時間で行われ，改ざんの有無を個別の項目，もしくはsumとして表示する。この機能を用いることで，監査証跡の表示を個別に照査するのではなく，短時間で多くのファイルを詳細に照査できる。この機能で改ざんが見つかれば，DIに関して重篤な観察事項があるとのことで，徹底的な調査が必要になる。これは，LabSolutionに限らず，EmPowerにも同様の機能がある。

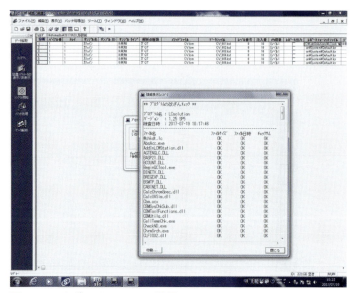

図5-14　改ざんチェックの結果のスクリーンショット

 ## 製造記録の照査

　ラボに続いて製造記録の照査を行う。日本では電子の製造記録は少ないが，MES等のソフトウェアを採用し，製造記録書を準備している場合もある。この記録も照査する（図5-15）。

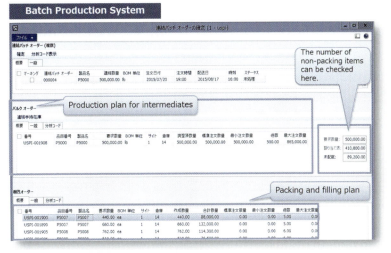

図5-15　MESシステム等，電子記録

質問例

- 数値を変更できる権限者は誰ですか？
- 数値の正確さは，誰が検証しましたか？
- 不正な数値の入力は可能ですか？
- パラメータの異常は自動で検知できますか？

　品質部門が，監査証跡の機能がONになっていること，電子データが安全・正確に常時照査できるように保存されていること，ならびに監査証跡の記録を定期的（随時）にレビューし電子記録の真正性を確認することが要求される（図5-16）。

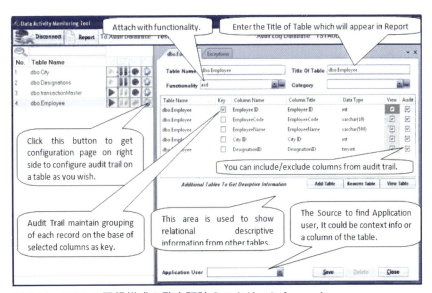

図5-16　MESの記録様式の監査証跡のスクリーンショット

紙の製造記録の照査の場合は、下記の項目に着目すべきである。
- 誤記の訂正が適切、SOPに即していることと、誤記訂正の理由が適切であること（逆に言えば、逸脱でないことを確認する）。
- 記録書に記載の記録がパラメータのアラートレベルにないこと
- パラメータを照査し、OOTではないことの確認
- 筆跡と記入順序（同時記入か）を確認

図5-17に照査の例を示す。

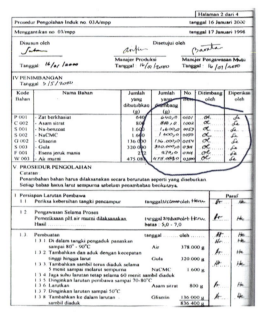

図5-17　記録用紙
丸で囲んだところに着目

DI保証体制

被監査側のDIの保証体制も照査を行う。

QAはDIの照査で何を行うべきかを尋ねることで、被監査側のDI保証の充実度を監査することになる。推奨される具体的例としては、図5-18のような監査証跡の画面を用いて行う。具体的なチェック項目は以下のようなものがある。
- シリアルナンバー、時刻の刻時に欠落がないか
- 監査証跡機能がONになっていること
- 注入と監査証跡の数値（特定の日時）が一致すること
- ファイル名の書き換えがないか
- 削除がないか

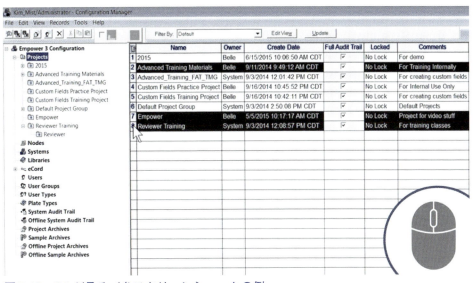

図5-18　QAが見るべきスクリーンショットの例

　またIT業務として，DIの照査で何を行うことが定められているかを確認する。具体的には，

- システムの構築（階層別）
- 不正アクセスのモニター
- 定期的なバックアップ
- 非常時のデータ保全（ウイルス，停電）
- いかなるデータも削除しない
- すべてのデータを保管
- 監査証跡機能を維持

などが定められている必要がある。

 # まとめ

　DIの監査での目標は下記の4点が被監査側に充足していることを確認することであるとまとめることができる。

①バックアップ，見読性

　電子データが不測の事態に備えて安全・正確な状態で保存されていること。地政学的なリスクを軽減する手段が要求される（データの保管管理）。

②保存性（アーカイブ）

　電子データが安全・正確に，常時照査できる状態で保存されていることが要求される

（データの保管管理）。

③正確性
　分析機器が作成した生データ，解析プログラムにより解析した一次データが電子データとして記録され，再解析を行った結果が原データとは区別されて，電子データとして正確に残っていることが要求される。

④完全性／網羅性
　監査証跡の記録を定期的にレビューし電子記録の真正性を確認することと，電子データのみならず印刷したデータ等のすべてが一致すること，保存されていることが要求される。

■引用文献
1) FDA inspection guide Computerized Systems in Drug Establishments (2/83)

索引

● 英数字

10ppm ... 69, 132
3バッチ ... 169
ALCOA ... 243
CAPA ... 16, 24, 37, 38, 77, 94, 121, 188
cause Audit ... 10
Clean holding time ... 69, 70
CoA ... 157
dark point ... 60
DI保証体制 ... 260
EMA Conduct of Inspections of Pharmaceutical Manufacturers or Importers ... 6
GDP ... 142
GMP組織図 ... 32, 143
HVACシステム ... 52
ICH Q1 ... 125, 160
ICH Q7の条項 ... 24
ICチップ ... 120
Investigations Operations Manual ... 5
LIMS ... 144
OOS ... 97, 147, 148, 181
OS確認 ... 249
PAT ... 114
QAの責任文書 ... 34
QMSの欠陥 ... 38
RAMPプログラム ... 53
Reprocess ... 181
Rework ... 182
Site Master File ... 11
working standard ... 152
βラクタム系 ... 16

● あ行

アーカイブ ... 261
アクセス制限 ... 253
アドミニストレーション ... 244
アナフィラキシーショック ... 58
アラート・アクションレベル ... 38, 53
新たに入荷した製造原材料等の検体採取及び試験 ... 111
安定性試験 ... 97, 125, 159, 197
以前の監査結果 ... 16
委託試験機関 ... 237
一次標準品 ... 153
逸脱 ... 94, 121, 146
一般的管理 ... 102
遺伝子固定 ... 208
飲食・喫煙 ... 44
ウイルス除去 ... 213
受入及び区分保管 ... 106
受入れ検査 ... 50
上書き操作 ... 257
衛生及び保守 ... 61
衛生管理方針 ... 42, 43
塩化水素ガス ... 113
エンドトキシン ... 56, 132, 174, 204
オーディットトレイル ... 76, 86, 147, 247
オープニング会議 ... 10
オーリング ... 65, 132
汚染管理 ... 131

汚染源	18
オンサイト査察	227
温度マッピング	50, 140

● **か行**

回顧的バリデーション	167
害虫	62
外部汚染	132, 173
化学天秤	73
確認試験	112
活性炭フィルター	66
紙データ	247
ガム	43
環境モニタリング	141
監査証跡	76, 86, 252
監査範囲	27
監査方式	12
監督職	41
管理台帳	78
危険生命体	214
ギヤー油	66
偽薬	137
キャリーオーバー	70, 131, 171
キャリブレーション	166
教育訓練	41
共同監査方式	13
近赤外分光	114
金属ナトリウム	113
クオリフィケーション	165
クラシカルな発酵工程	203
クリーンルーム	48, 53
契約社員	31
健康管理	44
原材料等取扱いの手順	102
検出限界	174

検証したシステムの定期的照査	170
原資料	83, 231
見読性	261
原薬の安定性モニタリング	158
原料・中間体・原薬用の表示材料・包装材料の記録	88
原料の秤量場所	119
更衣バリデーション	42, 209
高活性医薬品	54
校正	71
工程管理のパラメータ	64
工程内検体採取及び管理	126
個別のID	76
コンカレントバリデーション	167
コンサルタント	45
コントロールパネル	122
コンピュータ化システム	74, 242

● **さ行**

差圧・風向	47
再加工	123, 157, 181
再クオリフィケーション	166
再サンプリング	149
採取サンプル数	114
再処理	123, 182
サイトマスターファイル	27, 51
再バリデーション	164, 171, 174
再評価	117
再包装業者	157
細胞バンク	205, 207
先入先出し	115
殺虫剤	59
参考品	161
サンプリング	49, 56, 114, 126
サンプル回収率	174

サンプル抽出方式	24	スワブ法	173
残留許容基準	69, 71, 132, 172	青酸系	113
時間制限	124	製造・品質検査記録の情報源	16
始業前の点検SOP	86	製造記録の照査	258
試験室管理記録	96	製造作業	118
試験室のデータ	247	製造指図書原本	89
試験省略	111	製造用水	56
試験中の原材料	102, 107	製品標準書	84
自己点検	36	セキュリティ対策	244
時差	221	セキュリティ方針	75
システムベンダー	75	設計及び組立	63
施設プレゼンテーション	12	設計及び建設	47
自然災害	84	セファロスポリン系	16
実地監査	218	潜在する懸念点	17
実地検分	13	洗浄・殺菌記録	87
従業員の慣行	17	洗浄間隔	88
重要原料の輸送	50	洗浄済証明書	109
重要工程	90, 93, 99	洗浄バリデーション	69, 172
重要品質管理項目	39	洗浄ベリフィケーション	69
収量の基準	119	専用設備	71
受託製造業者	193	装置の材質	64
出荷判定の手順	89	装置の清掃及び使用記録	86
潤滑剤	65	装置の保守及び清掃	67
使用期限及びリテスト日	159	組織的事項	17
照度	60	ソフトウェアのバージョンアップ	78

● た行

代理店	157, 196
チャレンジテスト	139
中間体・原薬の試験	153
中間体・原薬のロット混合	128
中間体・バルク品の保存期間	125
中間体の表示	119
調査票	238
通訳	224

承認製造業者リスト	105
情報の伝達	198
照明	59
責任範囲	31, 34, 36
職務定義	40
除草剤	59
新規供給業者	106, 112
水質検査	56
ステータスラベル	50
スプレッドシート	96, 144

ディープフリーズ条件	208	排水及び廃棄物	60
データインテグリティ	76, 82, 246	パスワード	85, 244
データ記録媒体	79	培地性能確認試験	155
データの改ざん	76, 251	バーチャルプラントツアー	228
データの完全性	239	バックアップ	78, 84, 261
データの保管	251	バリデーション方針	163
適合判定	93	バリデーションマスタープラン	164, 167
哲学的議論	15	バルク原料	108
デッドポイント	110	微生物	132
電子記録	258	ビデオ技術	222
電子署名	85, 248	人が介在する操作	19
トイレ	44, 51	ヒューマンエラー	95, 122
動線(物・人)	47	表示資材	134
ドレイン	55	秤量精度	119
トレーサビリティ	192, 195, 244	微量不純物の試験	109
トレンド分析	38, 85	品質試験室	143
		品質方針	31, 33, 36

● な行

内部汚染	132	フィルター	57, 61, 214
内部監査	36	封じ込め	57, 66
生データ	96, 251	フォローアップ	14, 229
なりすまし	86	不活性化	60
二次標準品	152	複写	83, 92
入庫待ちの原材料	49	不合格品	180
入場許可書	11	不純物プロファイル	69, 71, 117, 154, 165, 183
熱媒体	65	付帯設備	67, 165
年次照査	38, 85, 170	物理的特性の均一性	130
		不適合品	49, 134, 180

● は行

バーコード	120	プロセスバリデーション	81, 165
ハーベスト	212	分解物	132
バイオシミラー	54	文書監査	218, 231
バイオテクノロジー工程	203	文書管理システム及び規格	80
バイオバーデン	204	文書の見直し	81
配管	64, 110	分析法のバリデーション	156, 175
		分担監査方式	12

ペストコントロール	17
別送サンプル	108
ペニシリン系	16
ペプチド	202
変更管理	177
ベンダー評価	104
ベンダーリスト	102
返品	186
包装作業及び表示作業	138
包装資材	134
包装ラインクリアランス	138
防虫管理プログラム	50
母液	185
保管	115
保管庫の室温	116
保管作業	140
保守点検	68
保存品	161
ホットスポット	172
ホルモン剤	54, 58

● ま行

マスター不純物プロファイル	183
マスターラベル	88, 137
水	55
水処理	57
目視評価	174

● や行

有機溶媒	109, 185
ユーティリティ	52
輸送業者	142
輸送条件	142
容器	135
溶媒の回収	184
予測的バリデーション	166
予防的保守計画	68

● ら行

ラップアップ会議	13, 229
ラベル管理	50, 88
ラベルの発行及び管理	136
ラボノート	144
ラマン分光	114
リジェクトバッチ	167
リチウム	113
臨時社員	31
リンス法	172
レトロウイルス試験	214
ロット・バッチ番号	92
ロット製造指図・記録	91
ロット内の均一性	114

● わ行

ワーキングセル	206
ワーストケース	64, 172

著者略歴

古澤 久仁彦（ふるさわ くにひこ）

1978年住友化学工業に入社。農薬の創薬，安全性評価・開発登録等に従事。
2004年に三井農林に入社しAPIの製造部門にてFDA対応等を歴任。
2010年からテバ製薬の信頼性保証部門にてGMPコンプライアンス・グローバルGMP監査を担当。
2014年から第一三共の信頼性保証本部にてGMPコンプライアンスを担当。2015年退社。
その後フリーランスのGMPコンサルタントとして活動。

リスクベースによるGMP監査実施ノウハウ 第2版

定価　本体7,800円（税別）

2016年9月28日　初版発行
2022年2月23日　第2版発行

著　者　　古澤 久仁彦
発行人　　武田 信
発行所　　株式会社 じ ほ う
　　　　　101-8421　東京都千代田区神田猿楽町1-5-15（猿楽町SSビル）
　　　　　振替　00190-0-900481
　　　　　＜大阪支局＞
　　　　　541-0044　大阪市中央区伏見町2-1-1（三井住友銀行高麗橋ビル）
　　　　　お問い合わせ　https://www.jiho.co.jp/contact/

©2022　　　　　　　　　　　　組版・印刷　（株）日本制作センター
Printed in Japan

本書の複写にかかる複製，上映，譲渡，公衆送信（送信可能化を含む）の各権利は株式会社じほうが管理の委託を受けています。

JCOPY ＜出版者著作権管理機構 委託出版物＞
本書の無断複製は著作権法上での例外を除き禁じられています。
複製される場合は，そのつど事前に，出版者著作権管理機構（電話 03-5244-5088，FAX 03-5244-5089, e-mail：info@jcopy.or.jp）の許諾を得てください。

万一落丁，乱丁の場合は，お取替えいたします。
ISBN 978-4-8407-5419-4